Emilio Salgari

Sandokan e le tigri di Mompracem

Adattamento e attività di **Jana Foscato**

Illustrazioni di **Duilio Lopez**

Redazione: Daniela Difrancesco, Donatella Sartor
Progetto grafico e direzione artistica: Nadia Maestri
Grafica al computer: Simona Corniola
Ricerca iconografica: Laura Lagomarsino

Titolo originale: Le tigri di Mompracem

© 2007 Cideb Editrice, Genova

Prima edizione: febbraio 2007

Crediti: © Pellizzari su licenza "Rai Trade": p. 109.

Si ringrazia per la collaborazione Corinne D'Angelo, curatrice
del sito internet ufficiale dedicato allo scrittore Emilio Salgari
www.emiliosalgari.it

Saremo lieti di ricevere i vostri commenti, eventuali
suggerimenti e di fornirvi ulteriori informazioni
che riguardano le nostre pubblicazioni:
redazione@cideb.it

Le soluzioni degli esercizi sono disponibili
nel sito www.cideb.it, area studenti/download

CISQ

CISQ CERT

**TEXTBOOKS AND
TEACHING MATERIALS**

The quality of the publisher's
design, production and sales processes has
been certified to the standard of
UNI EN ISO 9001

ISBN 978-88-530-0488-8   libro
ISBN 978-88-530-0489-5   libro + CD

Stampato in Italia da Litoprint, Genova

Indice

Testo integralmente registrato

Audio disponibile sul sito www.cideb.it

www.cideb.it

CELI 3   Esercizi in stile CELI 3 (Certificato di conoscenza della
         lingua italiana), livello B2

Emilio Salgari *(1862-1911)*

Emilio Salgari nasce nel 1862 a Verona, da una famiglia di modesti commercianti.

La passione per il mare lo porta ad iscriversi ad un istituto nautico, dal quale spera di uscire con il titolo di "capitano". I risultati scolastici sono però talmente deludenti da spingerlo ad interrompere gli studi prima di aver ottenuto la licenza. Poco dopo, si imbarca per alcuni mesi sul mercantile "Italia Una", che fa rotta sull'Adriatico. A dispetto di quanto racconterà in seguito ad amici e conoscenti, questa sarà l'unica avventura per mare realmente vissuta dallo scrittore.

Nel 1883, un anno dopo la pubblicazione del suo primo racconto, inizia a collaborare con il giornale veronese "La Nuova Arena", che pubblica a puntate i primi episodi del romanzo *La Tigre della Malesia*. Inizia così la produzione letteraria di Salgari, che arriverà a comprendere oltre ottanta romanzi ed un numero imprecisato di racconti.

Nel 1892 lo scrittore sposa l'attrice di teatro Ida Peruzzi, che gli darà quattro figli. L'anno seguente si trasferisce con la famiglia a Torino, dove pubblica per l'editore Speirani circa trenta titoli tra il 1892 ed il 1898.

Nel 1900 esce *Le tigri di Mompracem*, che ottiene un grandissimo successo. In questo periodo, tuttavia, inizia per lo scrittore anche una serie inarrestabile di difficoltà finanziarie e familiari: i debiti lo assillano, mentre la moglie dà i primi segni di uno squilibrio mentale che peggiorerà fino a portarla all'internamento in manicomio. Dopo aver tentato il suicidio una prima volta nel 1910, Salgari si toglie la vita nel 1911.

Oltre a quelli già citati, tra i romanzi salgariani più famosi ricordiamo *I misteri della jungla nera* (1895), *I Pirati della Malesia* (1896), *Il Corsaro Nero* (1898), *Jolanda, la figlia del Corsaro Nero* (1905), *Sandokan alla riscossa* (1907).

1 Indica se le seguenti affermazioni sono vere (V) o false (F).

	V	F
1 La famiglia di Salgari non era molto ricca.	☐	☐
2 Dopo gli studi Salgari fece molti viaggi per mare.	☐	☐
3 Il romanzo *La Tigre della Malesia* viene pubblicato da un editore veronese.	☐	☐
4 Durante i primi anni trascorsi a Torino Salgari ha difficoltà a pubblicare i suoi romanzi.	☐	☐
5 All'inizio del XX secolo inizia per lo scrittore un periodo molto difficile.	☐	☐

Personaggi

CAPITOLO 1

L'isola di Mompracem

La notte del 20 dicembre 1849 una tempesta violentissima  scuoteva [1] Mompracem, un'isola selvaggia abitata da feroci pirati, situata nel mare della Malesia, a poche centinaia di miglia dalle coste occidentali del Borneo.

Sulla cima di un'altissima rupe a picco sul mare brillavano due punti luminosi, due finestre illuminate. Appartenevano ad una grande e solida capanna, sulla quale era piantata una bandiera rossa, con al centro una testa di tigre.

Una delle stanze di quell'abitazione era arredata con oggetti di gran valore, ma tenuti in pessimo stato e buttati per terra in disordine: velluti, tappeti persiani, splendidi gioielli, pietre preziose, quadri e armi.

1. **scuoteva** : agitava.

Sandokan e le tigri di Mompracem

Su una poltrona era seduto un uomo di circa trent'anni: alto, slanciato, muscoloso e fiero, con lunghi capelli, barba e occhi nerissimi. Portava una casacca di velluto azzurro, un turbante con uno splendido diamante e una scimitarra appesa in vita con una fascia di seta rossa.

— È mezzanotte — mormora. — Mezzanotte e non è ancora tornato!

Ad un tratto, al rapido chiarore di un lampo, l'uomo vede una piccola imbarcazione entrare nella baia.

— È lui! — dice tra sé — Finalmente!

Cinque minuti dopo, un uomo coperto da un ampio mantello si presenta davanti alla porta.

— Yanez, bentornato! — esclama l'uomo con il turbante, abbracciando il nuovo venuto.

— Sandokan! — risponde l'altro, ricambiando la stretta.

Era un portoghese sui trentacinque anni, di media statura, robusto, dalla pelle bianchissima, i lineamenti regolari e gli occhi grigi e vivaci.

— Allora, Yanez, hai visto la ragazza soprannominata "la Perla di Labuan?"

— No, ma ho le informazioni che cercavi.

— Benissimo. Allora? Chi è?

— È una creatura meravigliosamente bella, con i capelli biondi come l'oro, gli occhi più azzurri del mare e la pelle bianca come la neve. Si dice che sia la figlia di un colono, o di un lord, o addirittura del governatore di Labuan.

Alle parole di Yanez la fronte di Sandokan si contrae e i suoi occhi lampeggiano.

Sandokan e le tigri di Mompracem

— Yanez, pensi che a Labuan gli inglesi stiano tramando [1] qualcosa contro di me?

— Credo di sì. Sarebbero disposti a perdere tutte le loro navi pur di impiccarti. Sono anni che attacchi i loro villaggi, bombardi le fortezze, affondi le navi.

— È vero, ma di chi è la colpa? Io regnavo sulle mie isole. Gli inglesi sono arrivati, hanno occupato le mie terre e mi hanno privato del titolo di principe perché ero diventato troppo potente. Hanno assassinato mia madre, i miei fratelli e le mie sorelle. Ho giurato che li vendicherò e manterrò il giuramento.

Con i nemici sono stato senza pietà, è vero; ma altre volte ho saputo essere anche generoso.

— Non qualche volta, Sandokan; mille volte sei stato generoso! Hai protetto i deboli, difeso le tribù dai prepotenti, salvato dalle onde i marinai!

Sandokan non risponde ma, dopo qualche secondo di silenzio, lo guarda e dice deciso:

— Yanez, voglio andare a Labuan.

— È troppo pericoloso!

— Lo so, ma non posso farne a meno: devo vedere quella ragazza.

L'indomani mattina, quando Sandokan scende la stretta scaletta intagliata nella roccia che porta alla spiaggia, Yanez lo sta già aspettando.

— È tutto pronto. Ho fatto preparare i due velieri migliori.

1. **stiano tramando** : stiano progettando di nascosto un'azione pericolosa.

I due attraversano una spianata e arrivano davanti alla baia, nella quale sono ormeggiati una dozzina di prahos. Sono imbarcazioni a vela malesi, leggere e veloci, che Sandokan e Yanez hanno modificato per renderle robuste e adatte ai combattimenti in alto mare.

Davanti ad una lunga fila di capanne, trecento uomini schierati[1] aspettano gli ordini del loro comandante.

Sandokan lancia uno sguardo soddisfatto e orgoglioso sui suoi tigrotti, come ama chiamarli, e si rivolge a uno di loro:

— Patan, vieni avanti. Quanti uomini ha la tua banda?

— Cinquanta, Tigre della Malesia.

— Imbarcati su quei due prahos e dai la metà del tuo equipaggio a Giro-Batol.

Detto questo, abbraccia Yanez e lo saluta.

— Addio, Sandokan. Non fare pazzie — dice il portoghese.

— Non avere paura, sarò prudente.

Dalla spiaggia si alza un grido:

— Evviva la Tigre della Malesia!

— Partiamo! — ordina il pirata.

I due prahos navigano per tutta la giornata senza incontrare nessuna nave. La fama di Sandokan era tale che pochissime imbarcazioni avevano il coraggio di navigare in quei mari. Alle tre del mattino del giorno dopo i pirati avvistano Labuan.

Era una piccola isola conquistata nel 1847 da Sir Rodney Mandy e contava un migliaio di abitanti malesi e circa duecento bianchi. Vittoria era l'unica cittadella; nel resto dell'isola non

---

1. **schierati** : messi in fila ordinatamente, come un esercito.

Sandokan e le tigri di Mompracem

c'erano che fitti boschi e qualche fattoria costruita sulle alture o nelle praterie.

Il praho è appena entrato nella baia, quando risuona un colpo di cannone.

— Capitano, siamo attaccati da un incrociatore! — grida Giro-Batol.

In effetti, a seicento metri dalla costa, una grande nave a vapore blocca la strada ai pirati.

Sandokan guarda con freddezza la nave che ha dimensioni, artiglieria ed equipaggio tre o quattro volte superiori a quelli dei due prahos, e grida: — Tigrotti, fuoco [1] a volontà!

Comincia una battaglia infernale: entrambe le parti rispondono colpo su colpo. Dopo venti minuti l'albero maestro dell'incrociatore precipita, facendo cadere in mare parecchi soldati. Mentre il vascello si ferma per salvare i suoi uomini, Sandokan approfitta del momento per imbarcare sul suo veliero l'equipaggio dell'altro praho, che sta colando a picco.

— Prepariamoci a morire con onore! — grida Sandokan.

— Viva la Tigre! — rispondono coraggiosi i tigrotti.

Anche se i pirati non si perdono d'animo, [2] il piccolo praho sembra un giocattolo di fronte a quella nave gigantesca.

Due minuti dopo l'acqua inonda la stiva del praho; eppure nessuno parla di arrendersi: sono rimasti solo in dodici, ma vogliono morire sul ponte nemico.

Con un'abile manovra, Sandokan riesce ad affiancare l'incrociatore e i tigrotti si precipitano all'arrembaggio,

1. **fuoco** : (qui) sparate.
2. **non si perdono d'animo** : non perdono coraggio.

cominciando a combattere corpo a corpo con i numerosi nemici.

Per alcuni minuti i pirati resistono all'equipaggio avversario, ma ben presto cadono sotto i colpi del nemico.

Sandokan viene colpito in pieno petto da un colpo di fucile, ma riesce a rialzarsi, uccide un uomo che gli sbarra la strada e si getta in mare, scomparendo tra le onde.

Il pirata aspetta che l'incrociatore si allontani in direzione di Labuan, poi si stringe la ferita con la fascia che ha indosso e comincia a nuotare.

Dopo alcune ore sente che gli mancano le forze, ma prima di svenire riesce a salire su un rottame[1] del praho.

Durante la notte viene trascinato verso la costa e, all'alba, si sveglia vicino alla riva. Con enorme sforzo si alza, camminando con difficoltà arriva alla spiaggia e di lì raggiunge un ruscello, presso il quale lava la ferita.

Beve qualche sorso d'acqua per calmare la febbre e, all'ombra di alcuni alberi, sviene di nuovo. Molte ore dopo, verso le otto di sera, si risveglia quasi in delirio[2] e comincia a correre come un pazzo; attraversa la foresta, poi una prateria e infine cade a terra svenuto davanti ad una palizzata.[3]

---

1. **rottame** : pezzo di qualcosa che si è rotto. Qui, parte della barca affondata.
2. **delirio** : confusione mentale dovuta a malattia e febbre alta.
3. **palizzata** : recinzione fatta di pali piantati in terra per difendere una proprietà privata.

Comprensione

1 Rileggi il capitolo e segna con una ✗ la lettera corrispondente all'affermazione corretta.

1 Gli inglesi vogliono
   a ☐ perdere le loro navi.
   b ☐ impiccare Sandokan.
   c ☐ privare Sandokan del titolo di principe.
   d ☐ occupare le terre di Sandokan.

2 Labuan è il nome di
   a ☐ un governatore inglese.
   b ☐ una bellissima ragazza.
   c ☐ un amico di Sandokan.
   d ☐ un'isola.

3 Yanez pensa che Sandokan sia
   a ☐ senza pietà.
   b ☐ a volte generoso.
   c ☐ spesso generoso.
   d ☐ troppo generoso.

4 Sandokan è soprannominato
   a ☐ tigrotto.
   b ☐ Tigre della Malesia.
   c ☐ Perla di Labuan.
   d ☐ Patan.

5 Durante la battaglia, Sandokan
   a ☐ imbarca i suoi uomini caduti in mare.
   b ☐ imbarca i suoi uomini prima che finiscano in mare.
   c ☐ resiste alcune ore contro il nemico.
   d ☐ affonda l'incrociatore.

6 Dopo che è stato ferito, Sandokan
   a ☐ riesce a salire su un rottame dell'imbarcazione.
   b ☐ nuota tutta la notte fino ad arrivare a riva.
   c ☐ corre all'impazzata fino ad un ruscello.
   d ☐ beve ad un ruscello e si sente subito meglio.

Grammatica

Diversi accenti, diversi significati

Una delle difficoltà della lingua italiana è costituita dagli accenti, che possono cadere sulle diverse sillabe che compongono la parola. Le sillabe sono contate dalla fine della parola verso l'inizio:

	Tipo di parola	Posizione dell'accento	Osservazioni
caf-**fè**	tronca	ultima sillaba	Quando la parola è tronca, **l'accento è sempre segnato** (*già, perché, pietà, onestà, ...*)
ca-sa	piana	penultima sillaba	
lim-pi-do	sdrucciola	terzultima sillaba	
con-**ce**-di-me-lo **or**-di-na-glie-lo		quartultima sillaba quintultima sillaba	Sono sempre **forme verbali** con pronomi atoni (*melo, glielo, ...*)

A parte le parole tronche, negli altri casi per pronunciare correttamente una parola bisogna conoscere a memoria la posizione dell'accento.
Le cose si complicano quando una parola è scritta nello stesso modo, ma cambia significato secondo la posizione dell'accento:

leggere, leggere   *ambito, ambito*   *ancora, ancora*

nocciolo, nocciolo   *principi, principi*   *tendine, tendine*

In questi casi di ambiguità, a volte l'accento è segnato.

Nelle **forme verbali**, questo aspetto è particolarmente importante:

Imbarcati su quel prahos. (tu — imperativo)

Imbarcati su quei due prahos, partirono. (loro - participio passato)

Esiste un altro caso molto frequente, ma non pone problemi perché, come abbiamo visto, nelle parole tronche l'accento è sempre segnato:

canto (io - presente indicativo) → *cantò* (lui, lei - passato remoto indicativo)

1 Ascolta, segna la vocale accentata e completa la tabella.

www.cideb.it

	imperativo	participio passato
0 attaccati		✗
1 precipitati		
2 preparati		
3 affiancati		
4 gettati		
5 aspettati		
6 allontanati		
7 trascinati		

Competenze linguistiche

1 Ecco alcuni termini ed espressioni incontrati nel capitolo. Collega ciascuno alla sua definizione.

1 ☐ colare a picco   a   lontano dalla riva, dove il mare è più profondo
2 ☐ praho   b   vedere da lontano
3 ☐ in alto mare   c   affondare
4 ☐ avvistare   d   reputazione, ciò che la gente dice di qualcuno
5 ☐ equipaggio   e   tipo di veliero, imbarcazione a vela
6 ☐ fama   f   insieme degli uomini che lavorano su una nave

Produzione scritta

CELI 3

1 Sandokan è preoccupato: a mezzanotte l'amico non è ancora tornato.

- Probabilmente ti sei trovato in una situazione simile anche tu. Come hai reagito e come credi che si dovrebbe reagire?

- In italiano esiste il detto "Nessuna nuova, buona nuova", che significa "finché non si hanno notizie, va tutto bene".

Tu cosa ne pensi? Esiste un detto del genere nella tua lingua?

(da un minimo di 120 a un massimo di 180 parole)

Il fascino dei velieri

In un mondo ormai dominato dall'alta tecnologia, le imbarcazioni a vela dovrebbero essere un mezzo di trasporto dimenticato e fuori moda. Ma non è così.

La barca a vela resiste nel tempo proprio perché rappresenta ancora l'antica lotta dell'uomo contro gli elementi naturali, la conoscenza e il dominio del mare, la solidarietà tra i compagni di viaggio.

L'orgoglio italiano: la Nave Scuola *Amerigo Vespucci*

Anche per le ragioni appena dette, nel 1925 la Marina Militare Italiana decise di costruire un'imbarcazione a vela per addestrare gli Allievi dell'Accademia Navale.

La bellissima imbarcazione fu varata nel 1931 con il nome di Amerigo Vespucci, il celebre navigatore italiano che diede il nome al continente scoperto da Cristoforo Colombo: l'America.

L'Amerigo Vespucci ricorda i vascelli di fine Settecento e inizio Ottocento per il caratteristico colore bianco e nero, la polena in bronzo dorato (che rappresenta Amerigo Vespucci) e le ricche decorazioni di prora e poppa in legno ricoperto di foglia d'oro zecchino.

Dal 1931 ad oggi ha effettuato più di settanta Campagne di Istruzione della durata di circa tre mesi ciascuna e, tra il 2002 e il 2003, ha circumnavigato il globo.

È l'imbarcazione in servizio da più anni nella Marina Militare, la nave più bella d'Italia e una delle più belle del mondo.

La nave scuola *Amerigo Vespucci*.

Il *Neptune*

Se le imbarcazioni a vela sono affascinanti… quelle antiche lo sono ancora di più!

Ecco perché il Neptune, approdato a Genova alla fine degli anni '80, è una delle attrazioni turistiche del porto antico della città.

Si tratta di una perfetta ricostruzione di un tipico galeone spagnolo del '600. Appositamente creato per il film del 1986 *Pirates (Pirati)* di Roman Polanski, è costato 8,2 milioni di dollari e due anni di lavoro in un cantiere tunisino.

Il vascello, attualmente gestito dall'Acquario di Genova, è aperto al pubblico e consente di comprendere come era un'imbarcazione di oltre quattro secoli fa.

Primo piano della poppa del galeone *Neptune*.

PROGETTO **INTERNET**

Il Porto Antico di Genova

Il galeone *Neptune* è ora ormeggiato nelle acque del Porto Antico di Genova e offre un interessante contrasto con la modernità del luogo.
Il Porto Antico colpisce per la sua vitalità: è ricco di attrazioni, di attività commerciali e soprattutto di eventi culturali.
Gli spazi un tempo occupati dai magazzini del porto, dopo un accurato recupero, sono diventati luoghi di esposizione. Vi si svolgono infatti mostre ed eventi legati al mare.
Particolare importanza ha avuto l'apertura del Museo del Mare *Galata* nel luglio del 2004.

Cerca ora su Internet notizie su questa zona della città e rispondi alle seguenti domande.

1 L'area è stata ristrutturata nel 1992. In occasione di quale evento?
2 Il progetto e la realizzazione dell'area sono stati affidati ad un architetto famoso in tutto il mondo. Chi è?
3 Cos'è il Bigo?
4 Il Porto Antico ospita una struttura che richiama ogni anno decine di migliaia di visitatori. Quale?

CAPITOLO 2

La Perla di Labuan

Quando si risveglia, con sua grande sorpresa Sandokan si trova nel comodo letto di una camera illuminata da due grandi finestre.

— Dove sono? Chi ha curato e fasciato la mia ferita?

Mentre cerca ancora di capire cosa gli è successo, un uomo sui cinquant'anni entra camminando in quel modo elegante e composto tipico del popolo anglosassone.

— Sono contento di vedervi stare meglio: deliravate da tre giorni.

— Tre giorni!... Ma voi chi siete?

— Lord James Guillonk, capitano di vascello di Sua Maestà l'imperatrice Vittoria.

Sandokan fa uno sforzo per controllare il suo odio istintivo per gli inglesi.

— Cosa vi è successo? Chi vi ha ridotto così? — chiede il lord.

— Non lo so. Degli uomini sono piombati di notte sulle mie navi e hanno ucciso senza pietà i marinai; io sono stato ferito e sono caduto in mare.

— Sono stati sicuramente i pirati guidati dalla Tigre della Malesia. Dove eravate diretto?

— Andavo a portare al sultano [1] del Varauni dei regali da parte di mio fratello, il sultano di Shaja.

— Allora siete un principe malese! — esclama il lord.

— Sì, Milord, e... — in quell'istante Sandokan sente fuori dalla stanza il suono di un mandolino — Chi suona?

— Perché? — chiede il lord sorridendo.

— Non lo so... vorrei tanto vedere la persona che sta suonando.

— Aspettate un istante.

Dopo qualche secondo il lord rientra, seguito da una splendida creatura.

— Vi presento mia nipote, lady Marianna Guillonk.

Il pirata rimane immobile come una statua di bronzo, fissando la ragazza senza quasi respirare.

Era una fanciulla magra, elegante, dalla vita [2] sottile. Aveva pelle rosea e fresca come un fiore, occhi azzurri come l'acqua del mare e una ricca capigliatura bionda che le scendeva disordinata sul corpetto bianco.

— Marianna Guillonk — ripete Sandokan, parlando tra sé e sé.

---

1. **sultano** : sovrano. Titolo di comando supremo, soprattutto nei paesi islamici.
2. **vita** : parte del corpo sopra i fianchi, all'altezza dello stomaco.

— Cosa c'è di strano nel mio nome? — chiede sorridendo la ragazza.

— Niente... — risponde Sandokan. — Ditemi, milady, voi avete un altro nome infinitamente più bello: Perla di Labuan, vero? Parecchi uomini mi hanno parlato della vostra bellezza e ora vedo che dicevano la verità.

— Mia cara nipote, pare che farai innamorare anche il nostro principe!

Quando, dopo un po', il lord e la ragazza si allontanano, Sandokan rimane a lungo immobile, fissando con il cuore gonfio di emozioni la porta dalla quale è uscita Marianna.

Lady Marianna era nata sotto il bel cielo d'Italia, sulle rive dello splendido golfo di Napoli, da madre italiana e padre inglese.

Rimasta orfana a undici anni, Marianna era stata cresciuta da suo zio James, lupo di mare,[1] proprietario di una nave da guerra e grande nemico dei pirati. La ragazza aveva navigato con lui per tre anni nel Borneo ed era stata testimone di sanguinose battaglie. Quando il lord aveva deciso di abbandonare i pericoli e si era stabilito a Labuan, Marianna, costretta ad una vita più tranquilla, si era dedicata alla musica, alle arti, alla cura dei fiori, ma soprattutto ad aiutare i poveri e bisognosi indigeni.[2] Non aveva abbandonato, però, la passione per le armi e amava cavalcare nei boschi, rincorrendo addirittura le tigri.

Da quando era arrivato l'ospite ferito, Marianna si era resa conto che le stava succedendo qualcosa: non riusciva a stare lontana da quell'uomo; trascorreva ore e ore in camera del malato e cercava di calmare le sue sofferenze con le chiacchiere, i sorrisi e le dolci canzoni italiane che conosceva.

In quei momenti Sandokan non era più la Tigre della Malesia: trattenendo il respiro, ascoltava sognante la voce di Marianna, guardandola incantato.

La guarigione procede velocemente e, la mattina del quindicesimo giorno, il lord entra nella stanza di Sandokan e lo trova in piedi, in perfetta forma.

— Ho invitato alcuni amici per cacciare domani mattina una tigre che si avvicina troppo alle mura del mio parco. Voi sarete dei nostri?

— Ci sarò, Milord.

Poi, con espressione scura e misteriosa, aggiunge: — Vi sono

---

1. **lupo di mare** : marinaio esperto.
2. **indigeni** : abitanti del luogo.

riconoscente per la vostra ospitalità Milord e, se mai un giorno ci incontreremo da nemici, saprò dimostrarvi la mia riconoscenza.

— Perché parlate così? Cosa volete dire? — chiede il lord.

— Forse un giorno lo saprete... — risponde Sandokan con l'aria di nascondere qualcosa.

Quando lord Guillonk esce, il pirata si avvicina alla finestra e guarda Marianna, che sta suonando nel parco, seduta sul tronco di un albero.

— Qui c'è la felicità, una nuova vita dolce e tranquilla; laggiù c'è Mompracem e una vita tempestosa, i miei prahos, i miei tigrotti e il mio caro amico Yanez... Quale delle due strade scegliere? Ah, la Tigre della Malesia sta per tramontare!

L'indomani all'alba il gruppo si riunisce per la caccia. Ci sono Marianna, Sandokan, lord James, quattro coloni e il baronetto Rosenthal, un giovane ufficiale della marina.

— Ucciderò la tigre con una sola fucilata e offrirò la pelle a lady Marianna — dice l'ufficiale.

— Spero di ucciderla prima io con il mio kriss — ribatte Sandokan, con tono di sfida.

— Lo vedremo presto, amici! — dice il lord — Salite sui vostri cavalli e partiamo!

Appena fuori dal parco, il gruppo si divide e ciascuno si lancia al galoppo per esaminare con attenzione una parte diversa del bosco. All'improvviso Sandokan sente uno sparo e si dirige rapidamente verso il luogo da cui è partito il colpo, dove vede Marianna con il fucile ancora fumante in mano.

— La tigre è fuggita — gli dice la ragazza.

— Milady!... Cosa ci fate qui, da sola? Perché rischiate la vita?

— Per impedirvi di cercare di uccidere la tigre con il pugnale. Non potete riuscirci.

— Vorrei essere ferito così gravemente da dover rimanere un anno intero accanto a voi! Non avete capito che mi sento morire all'idea di lasciarvi? Cosa avete fatto al mio cuore, un tempo indifferente ad ogni passione?

Ascoltatemi, milady: per voi lotterei contro gli uomini e il destino stesso. Volete essere mia? Farò di voi la regina della Malesia. Possiedo oro, navi, soldati...

— Dio mio, ma chi siete?

— Sappiate solo che porto un nome che terrorizza le popolazioni di questi mari. Mettetemi alla prova: parlate e io vi obbedirò.

— Allora... amatemi! — mormora lei timidamente.

Proprio in quel momento si sentono due o tre colpi di fucile.

— La tigre! È mia! — grida Sandokan. Sprona[1] il cavallo e parte al galoppo, raggiungendo i cacciatori, che si trovano poco lontano.

L'ufficiale Rosenthal spara, ma manca la tigre, che gli salta addosso rovesciandolo a terra. Sandokan si lancia contro l'animale, riesce ad afferrarlo per la gola e lo pugnala al cuore.

Il pirata getta uno sguardo di disprezzo sull'ufficiale:

— Milady, la pelle è vostra.

---

1. **sprona** : colpisce con i talloni i fianchi del cavallo.

Comprensione

CELI 3

1 **Rileggi il capitolo e rispondi alle domande.**
(da un minimo di 10 a un massimo di 25 parole)

1 Come giustifica il suo stato Sandokan? Cosa racconta a lord Guillonk?

....

2 Perché lord Guillonk dice alla nipote che farà innamorare Sandokan?

....

3 Cosa fa capire a Marianna e Sandokan che sono innamorati?

....

4 Quale discorso misterioso fa Sandokan a lord Guillonk?

....

5 Sandokan deve scegliere tra due strade. Quali?

....

6 Perché Marianna spara alla tigre, rischiando la vita?

....

2
www.cideb.it

2 **Ascolta il testo e indica con una ✗ la lettera corrispondente all'affermazione corretta.**

1 Le *Tigri di Mompracem* è il nome di
   a ☐ un romanzo.
   b ☐ un ciclo di romanzi.
   c ☐ un'epopea.
   d ☐ una banda di pirati.

2 Yanez
   a ☐ ha solo il braccio destro.
   b ☐ è soprannominato Tigre della Malesia.
   c ☐ è un principe portoghese.
   d ☐ è fedele e coraggioso.

3 La produzione di Salgari è stata considerata "minore" perché

a ☐ è semplice e fresca.

b ☐ si adegua perfettamente all'azione.

c ☐ è un modello universale per la letteratura d'avventura.

d ☐ presenta personaggi privi di spessore psicologico.

4 La produzione salgariana è stata rivalutata

a ☐ perché si allontana dal genere d'azione.

b ☐ in quest'ultimo secolo.

c ☐ negli ultimi dieci anni.

d ☐ perché prende a modello la letteratura anglosassone e americana.

5 I "falsi" sono

a ☐ ad oggi 80.

b ☐ quasi tutti divisi in cicli.

c ☐ sintomo di grande popolarità.

d ☐ romanzi scritti da Salgari sotto pseudonimo.

3
www.cideb.it

3 Ascolta e leggi attentamente. Sottolinea nel testo le parole diverse e scrivi quelle corrette.

Lady Marianna era *venuta alla luce* sotto il bel cielo d'Italia, sulle rive dello splendente golfo di Napoli, da madre italiana e padre inglese.

Rimasta orfana a undici anni, Marianna era stata cresciuta dallo zio James, lupo di mare, proprietario di una nave da guerra e grande avversario dei pirati. La ragazza aveva navigato con lui per trent'anni nel Borneo ed era stata testimone di sanguinarie battaglie. Quando il lord aveva deciso di abbandonare i pericoli e si era trasferito a Labuan, Marianna, costretta ad una vita più tranquilla, si era dedicata alla musica, alle arti, alla coltivazione dei fiori, ma soprattutto ad aiutare i poveri e bisognosi indigeni.

0	nata	4	....
1	....	5	....
2	....	6	....
3	....	7	....

Competenze linguistiche

1 Collega le seguenti espressioni, che trovi nel testo, con espressioni di uguale significato.

1	☐ Piombare	a	Provare un dolore insopportabile
2	☐ Essere dei nostri	b	Arrivare all'improvviso
3	☐ Sentirsi morire	c	Far parte di un gruppo
4	☐ Avere l'aria di nascondere qualcosa	d	Comportarsi come se si avesse un segreto

Grammatica

La forma di cortesia "Voi"

"Sono contento di vederVi guarito: deliravate da tre giorni".

Oggi la forma di cortesia utilizzata è il "Lei", ma fino all'inizio del XX secolo era il "Voi".

1 Trasforma le frasi seguenti, utilizzando il "tu" colloquiale e la forma di cortesia "Lei".

	Voi	Tu	Lei
0	Ma voi chi siete?	Ma tu chi sei?	Ma Lei chi è?
1	Cosa vi è successo?		
2	Dove eravate diretto?		
3	Allora siete un principe malese!		
4	Aspettate un istante.		
5	Vi presento mia nipote.		
6	Ditemi, milady, voi avete un altro nome?		
7	Mi hanno parlato della vostra bellezza.		
8	Voi sarete dei nostri?		
9	Vi sono grato della vostra ospitalità.		

CAPITOLO 3

Il ritorno a Mompracem

Durante il pranzo offerto da lord James, tra brindisi e risate,
Rosenthal si rivolge a Sandokan:

— Scusate, principe, da quanto tempo siete a Labuan?

— Venti giorni.

— Dove siete stato assalito dai pirati?

— Vicino alle Romades.

— Quando?

— Poche ore prima del mio arrivo su quest'isola.

— Vi sbagliate certamente, principe: quel giorno non è stata avvistata nessuna nave pirata vicino alle Romades. Come siete arrivato fin qui?

— A nuoto.

— E non avete assistito ad un combattimento fra due navi corsare ed un incrociatore?

Sandokan e le tigri di Mompracem

— No.

— Davvero strano...

— State mettendo in dubbio le mie parole? — chiede Sandokan, scattando in piedi.

— Non mi permetterei mai, principe — risponde l'ufficiale, con leggera ironia.

Dopo un attimo di silenzio, gli invitati riprendono a mangiare, ma prima di andarsene l'ufficiale mormora [1] qualche parola all'orecchio di lord James.

L'indomani Sandokan incontra Marianna nel parco.

— Vi cercavo — dice lei, arrossendo. Poi avvicina un dito alle labbra per raccomandargli di non parlare e lo conduce nel chiosco, lontano da occhi e orecchi indiscreti.

— Ieri sera mi è venuto un sospetto... Qual è il vostro vero nome? Ditemelo; chiunque voi siate, re o bandito, io vi amerò ugualmente.

Il pirata sospira. — Avete mai sentito parlare di Sandokan, soprannominato la Tigre della Malesia? Sono io!

Marianna lancia un grido d'orrore e si nasconde il viso tra le mani.

— Non vi spaventate, Marianna, lasciate che vi spieghi. Sono un giustiziere, il vendicatore della mia famiglia e del mio popolo, non un assassino.

Sandokan racconta a Marianna la sua storia.

— Ora, se volete, respingetemi e io me ne andrò per sempre.

— No, Sandokan. Io ti amo, oggi più di ieri.

Il pirata la stringe forte al petto.

---

1. **mormora** : dice a voce bassa.

Sandokan e le tigri di Mompracem

— Se vuoi che rovesci un sultano per darti un regno, lo farò; se desideri essere ricca, saccheggerò i templi dell'India e della Birmania; se vuoi che rinunci alle mie vendette, andrò a incendiare i miei prahos.

— Non chiedo altro che la felicità accanto a te. Portami su un'isola lontana, dove tu possa sposarmi senza pericoli, senza ansie.

— Va bene; lontano da Labuan e Mompracem.

— Sì, Sandokan; ma ora devi partire. Sei in pericolo; temo che stiano tramando contro di te: mio zio è partito questa mattina presto per incontrare a Vittoria William Rosenthal, l'ufficiale che forse ieri ti ha riconosciuto.

In quel preciso momento lord James entra nella stanza:

— Non una parola in più: uscite immediatamente da casa mia!

Sandokan guarda l'inglese con odio, ma reprime la voglia di gettarsi contro di lui per amore di Marianna.

— Va bene — risponde e, aggiunge, rivolto alla ragazza: — Fra una settimana o due ti verrò a prendere.

— Fuori! — gli urla l'inglese.

Sandokan esce dalla villa a passi lenti, con la mano destra sull'impugnatura del kriss, e vede numerosi soldati che lord Guillonk aveva mandato a controllare il parco. Il pirata calcola con lo sguardo la distanza, poi con un salto si scaglia sui nemici, colpendo il caporale. Sfruttando un momento d'esitazione dei soldati, raggiunge la palizzata, la scavalca e fugge nella foresta dirigendosi a sud, per raggiungere il mare.

All'improvviso una voce grida: — Se fate un passo, vi uccido come un cane!

È un giovane soldato che si trova a pochi passi da lui, puntandogli il fucile contro. Sandokan si mette a ridere: — Osi minacciarmi? Non sai che io sono la Tigre della Malesia?

Il soldato, conoscendo la fama del pirata e stupito della sua fredda reazione, lo guarda immobile e impaurito. Sandokan in un secondo lo rovescia a terra, lo spoglia della divisa, lo lega ad un albero e indossa i suoi abiti.

— Forse, così travestito, riuscirò a sfuggire agli inseguitori e a imbarcarmi su qualche nave diretta alle Romades.

Così pensando si rimette in cammino, quando ad un tratto vede un uomo che si aggira furtivo [1] tra gli alberi. Appena riesce a vederlo in faccia, Sandokan lancia un grido di gioia e di stupore.

— Giro-Batol, sei tu!

— Capitano! Come sono felice di rivedervi!

— Come è possibile che tu sia ancora vivo? Ti ho visto sul praho mentre stava affondando.

— Una scheggia [2] mi ha ferito alla testa, ma non mi ha ucciso. Quando la nave è affondata, sono riuscito ad aggrapparmi ad un rottame e ad arrivare a riva. Un uomo del posto mi ha raccolto e curato.

— E ora dove stavi andando?

— Cercavo di raggiungere la costa per tornare a Mompracem con la canoa che mi sono costruito.

— Una canoa? Splendido! Partiremo insieme, questa notte.

— Allora andiamo a riposarci nella mia capanna. È solo a un quarto d'ora di cammino.

---

1. **si aggira furtivo** : cammina con attenzione, in modo da non essere visto.
2. **scheggia** : pezzo tagliente; qui, di proiettile.

Sandokan e le tigri di Mompracem

Giunti alla capanna, che si trovava nella parte più fitta del bosco, i due mangiano, riposano qualche ora e la sera si rimettono in cammino per raggiungere la canoa.

Sandokan, che venti giorni prima avrebbe dato metà del suo sangue per tornare a Mompracem, ora è disperato all'idea di abbandonare quell'isola e lasciare sola e indifesa la donna che ama.

Arrivati al mare, Giro-Batol sposta i rami di un albero e mostra a Sandokan un'imbarcazione.

— Venite, capitano, fate in fretta! Potrebbe arrivare qualcuno da un momento all'altro.

Sandokan non si muove e guarda cupo verso la villa, incapace di allontanarsi dalla Perla di Labuan.

— Capitano, — ripete il malese — volete farvi prendere? Venite, o sarà troppo tardi.

— Arrivo — risponde infine Sandokan saltando sulla canoa.

Per tutto il viaggio il pirata non smette un attimo di guardare verso Labuan. Finalmente, la sera del giorno dopo, vede una massa scura all'orizzonte.

— Mompracem!... — esclama.

A quella parola Sandokan alza lo sguardo e si solleva di scatto.

— Mompracem! Finalmente ti rivedo.

Quando entra nella sua capanna, Sandokan vede un uomo seduto al tavolo, con la testa fra le mani.

— Allora, fratello, — dice — hai dimenticato la Tigre della Malesia?

Yanez si alza di scatto e l'abbraccia.

— Tu! Tu!... Sandokan! Sono quattro settimane che ti aspetto;

ormai ti credevo morto. Ma perché sei vestito così? Cosa è successo?

— Non sai che ci hanno battuto e che i cinquanta tigrotti che erano venuti con me a Labuan sono morti tutti tranne Giro-Batol?

— Battuto tu!... È impossibile!

— Sì, Yanez, sono stato vinto e ferito, e torno malato di una malattia incurabile.

Il pirata racconta con la massima precisione tutto ciò che gli è successo e parla del suo incontro con Marianna.

— Credimi: ho lottato con tutte le mie forze per non farmi vincere dalla passione, ma ho perso.

— Dimenticala! — dice Yanez scuotendo la testa.

— No, non la dimenticherò mai. Diventerà mia moglie, dovesse costarmi il mio nome, la mia isola, la mia potenza... tutto!

— Se non c'è modo di farti cambiare idea, allora ti aiuteremo. Tornerai ad essere la Tigre della Malesia, anche sposando la ragazza dai capelli d'oro.

Sandokan abbraccia Yanez con affetto.

— Dimmi ora, — chiede il portoghese — cosa intendi fare?

— Ripartire al più presto per Labuan e rapire Marianna.

— Hai ragione. Lord Guillonk teme sicuramente il tuo ritorno e potrebbe andarsene da un momento all'altro. Bisogna agire subito. Vai a dormire, ora. Mi occuperò io di tutto e domani al tuo risveglio saremo pronti per salpare.

L'indomani, quando Sandokan arriva alla baia del villaggio, tre prahos sono già pronti a prendere il largo. Appena lo vedono, i pirati lo circondano, pazzi di gioia. Nelle loro voci non c'è né rimpianto né tristezza per i compagni morti, ma solo sete di vendetta.

Yanez, che scruta attentamente il mare, interrompe quelle manifestazioni d'affetto: — Sandokan, sta tornando un praho che avevo mandato tre giorni fa a Labuan per avere tue notizie.

— Toh!... — dice il pirata, che si è avvicinato a Yanez — Mi pare che abbiano preso un soldato inglese. Non vedi anche tu una giacca rossa?

Cinque minuti dopo il prigioniero viene interrogato.

— Caporale, mi riconosci? — chiede Sandokan.

— Sì, eravate nella villa di lord Guillonk. — Poi, dopo un momento di esitazione — È finita per me, vero?

— La tua vita dipende dalle tue risposte. Cosa è successo quando ho lasciato la villa?

— Io ero con il baronetto Rosenthal. Quando siamo entrati nella villa, abbiamo trovato lord Guillonk fuori di sé e lady Marianna che piangeva.

A quelle parole Sandokan si irrigidisce.

— Se le torce un capello...[1] — pensa tra sé.

E poi, ad alta voce: — Cosa le succederà ora?

— Sposerà il baronetto, fra un mese.

Sandokan scatta in piedi. — Cosa hai detto? — e poi, rivolto a Yanez — Imbarchiamoci! Immediatamente!

---

1. **se le torce un capello** : (modo di dire) se la tocca, se le fa male anche minimamente...

Comprensione

1 Rileggi il capitolo e segna con una **✗** se le affermazioni sono vere (V) o false (F).

		V	F
1	Sandokan dice di essere stato assalito dai pirati vicino a Labuan.	☐	☐
2	L'ufficiale accusa apertamente Sandokan.	☐	☐
3	Marianna reagisce con orrore alla rivelazione della vera identità del pirata.	☐	☐
4	Marianna chiede a Sandokan di portarla su un'isola lontana.	☐	☐
5	Sandokan si traveste con la divisa di un soldato inglese.	☐	☐
6	Sandokan incontra un pescatore che si aggira furtivo tra gli alberi.	☐	☐
7	I pirati accolgono il loro capo con gioia.	☐	☐
8	Il soldato inglese teme che i pirati lo vogliano uccidere.	☐	☐
9	Marianna sposerà il baronetto Rosenthal entro due mesi.	☐	☐

CELI 3

2 Leggi i due testi (A e B) e abbina le informazioni di seguito elencate al testo cui si riferiscono.

L'ambientazione del romanzo salgariano: brevi cenni storici

A La Malesia è una federazione di 13 stati, a cui si aggiungono i territori federali della capitale Kuala Lumpur e l'isola di Labuan. A causa della sua posizione strategica, la Malesia è stata per centinaia di anni obiettivo delle potenze coloniali.
Le invasioni inglesi e olandesi si sono alternate fino alla seconda guerra mondiale, quando la Malesia è stata conquistata dai giapponesi. Nel 1946 viene creata l'Unione Malese, protettorato britannico che ottiene piena indipendenza nel 1957. Nel 1963 si unisce a Singapore, che però ritorna stato indipendente due anni dopo.

B L'isola di Labuan è situata a 8 km dalle coste del Sabah. Dapprima territorio del Sultano del Brunei, viene ceduta nel 1846 agli inglesi, ai quali rimane finché nel 1982 recupera una distinta personalità amministrativa come territorio federale della Malesia. Due anni dopo entra a far parte del governo della Malesia.

		A	B
1	Si tratta di una federazione.	☐	☐
2	Fa parte della federazione.	☐	☐
3	Ha un'interessante posizione strategica.	☐	☐
4	Viene ceduta agli inglesi.	☐	☐
5	Gli inglesi e gli olandesi si sono contesi il suo territorio.	☐	☐
6	Diventa protettorato britannico.	☐	☐

Competenze linguistiche

CELI 3

1 Completa il testo. Inserisci la parola mancante negli spazi numerati.

LA MALESIA

Le splendide isole e i luoghi (1) .... compongono il territorio (2) .... Malesia, pressoché incontaminata anche attualmente, costituivano già ai (3) .... di Salgari l'ambientazione ideale (4) .... dar vita a misteriose avventure e affascinanti personaggi.

Il Borneo è l'isola malese più importante. Composto (5) .... regioni di Sabah e Sarawak, offre paesaggi da sogno: grotte grandi e profonde, foreste tropicali e ricchi fondali marini.

MOMPRACEM

La piccola isola di Mompracem è, nel (**6**) .... salgariano, il covo dei pirati della Malesia. La sua (**7**) .... strategica permette infatti il dominio (**8**) .... mari circostanti e consente il controllo commerciale e la gestione degli scambi con le (**9**) .... isole.

Nei romanzi di Salgari troveremo più volte il desiderio dei pirati ribelli di (**10**) .... ritorno all'amata isoletta, desiderio che (**11**) .... spinge ad una riconquista del territorio colonizzato dagli inglesi.

2 Ecco alcuni termini ed espressioni incontrati nel capitolo. Collega ciascuno al suo sinonimo.

1 ☐ scattare in piedi   **a** avere il coraggio

2 ☐ indiscreto   **b** alzarsi all'improvviso

3 ☐ respingere   **c** indecisione

4 ☐ scagliarsi   **d** curioso, indelicato

5 ☐ esitazione   **e** gettarsi contro, attaccare

6 ☐ puntare contro   **f** volgere un oggetto in una certa direzione

7 ☐ osare   **g** allontanare, rifiutare

Produzione scritta

CELI 3

1 Un/a amico/a vuole organizzare un viaggio di gruppo in Malesia. Ti invia questi annunci e ti chiede se sei interessato e a quale proposta aderiresti.

Curioso e divertente
itinerario di **tre settimane**
sulle orme di Sandokan!
Pernottamenti in alberghi a
★★★ e ★★★★
spostamenti ed escursioni
a 2340 euro
dal 5/9 al 26/9

CROCIERA IN MALESIA
di due settimane
comprensiva di 3 immersioni subacquee
Cabine doppie e pensione completa
a 1970 euro

10 GIORNI DI IMMERSIONI SUBACQUEE
organizzate

dal 3/7 al 14/7
albergo ★★★ a Kota Kinabalu
1180 euro

Nella lettera di risposta:

* esprimi il tuo entusiasmo per la proposta dell'amico/a
* indichi a quale iniziativa aderiresti e ne spieghi le ragioni (luogo, data, prezzo, programma...)
* proponi di portare anche un/a amico/a comune che pensi possa essere interessato/a al viaggio.

(da un minimo di 80 a un massimo di 100 parole)

CAPITOLO 4

La spedizione contro Labuan

Yanez e Sandokan partono dopo aver scelto i novanta uomini più valorosi. Ben presto si scatena una terribile tempesta. Yanez consiglia di cercare riparo in una baia, aspettando che il mare si calmi, ma Sandokan non può aspettare; vuole arrivare a Labuan il più presto possibile.

Senza preoccuparsi del pericolo, la Tigre della Malesia porta il suo praho vicino all'isola, ma il mare è talmente agitato che l'imbarcazione non può avvicinarsi ulteriormente.

Sandokan e Yanez si fanno perciò calare su una scialuppa che, spinta dai cavalloni, [1] si frantuma a riva, contro il tronco di un albero.

---

1. **cavalloni** : onde alte e grosse.

— All'inferno tutti gli innamorati! — dice a denti stretti Yanez, rialzandosi — Queste sono cose da pazzi!

— Sei ancora vivo, no? Di cosa ti lamenti? — risponde Sandokan ridendo — Guarda: il praho è ancora davanti alla baia. Che compagni fedeli! Prima di allontanarsi vogliono essere sicuri che siamo sani e salvi.

Sandokan sale su una roccia, si leva la fascia di seta rossa che ha in vita e la sventola verso l'imbarcazione. Il praho risponde con un colpo di cannone e poi si dirige a nord, in cerca di riparo.

I due amici rimangono sulla spiaggia finché la nave non scompare all'orizzonte, poi si mettono in cammino e al tramonto arrivano alla palizzata del parco.

— Maledizione! Dei soldati davanti alla residenza... Attacchiamoli! — dice Sandokan.

— Sei pazzo? Vuoi farti fucilare? Abbiamo bisogno dei nostri uomini per attaccare la villa e i tre prahos non sono ancora riusciti a raggiungere la baia. Aspettiamo che sia notte.

— E i soldati?

— Per Giove! Immagino che la maggior parte andrà a dormire.

I due si nascondono dietro un cespuglio aspettando il momento giusto per agire.

Passano due, tre, quattro ore che a Sandokan sembrano lunghe come secoli. Poi finalmente i soldati rientrano nella villa, chiudendo la porta.

— E ora cerchiamo di avvisare Marianna della nostra presenza — dice Yanez. — Seguimi.

I due scavalcano la palizzata e strisciano dietro i cespugli fino ad arrivare a circa cento passi dalla residenza.

— Fermo, Sandokan. Lo vedi quel soldato?

Sandokan e le tigri di Mompracem

— Sì, mi pare che stia dormendo — risponde tranquilla la Tigre. — Sarà un gioco da ragazzi.[1] Sei pronto?

Al cenno affermativo del portoghese, Sandokan si lancia contro il giovane che sonnecchia appoggiato al suo fucile e lo butta a terra, minacciandolo con il pugnale. Yanez, in un attimo, lo imbavaglia[2] e gli lega caviglie e polsi.

— E ora andiamo da Marianna. Sai quali sono le finestre? — chiede Yanez.

— Oh sì, certo che lo so — risponde Sandokan, guardando la facciata del palazzo. — Maledizione! Hanno messo delle sbarre di ferro davanti alle finestre — aggiunge a denti stretti.

— Poco male! — risponde Yanez e comincia a lanciare sassolini contro i vetri.

Poco dopo la finestra si apre.

— Marianna! — bisbiglia Sandokan.

— Tu!... Tu! — esclama la ragazza, pazza di gioia — Ti credevo morto!

— No, Marianna, la Tigre della Malesia non muore così facilmente.

— Sandokan, mio zio mi tiene prigioniera. Non accetterà mai di farmi diventare tua moglie.

— Entreremo a prenderti, Marianna; dovessimo dar fuoco alla villa, abbattere le mura, o...

La ragazza lo interrompe: — Fuggi, Sandokan, sento dei passi nel corridoio!

In quell'istante il lord entra nella stanza e raggiunge la finestra:

1. **un gioco da ragazzi** : (modo di dire) semplicissimo.
2. **imbavaglia** : mette un pezzo di stoffa davanti alla bocca.

48

Sandokan e le tigri di Mompracem

— Miserabile! — urla. Prende con forza la nipote per le spalle e la allontana dalla finestra.

— Scappa, Sandokan!

Il pirata, pazzo di rabbia, è costretto a fuggire nel giardino.

Appena scavalcata la palizzata, Yanez lo afferra per il braccio, tirandolo in direzione della foresta.

— Vieni, testardo imprudente.

— Lasciami, Yanez, assaltiamo la villa! — dice la Tigre, cercando di liberarsi dalla stretta dell'amico.

— Vuoi farti fucilare?

Intanto, tre o quattro soldati cominciano a sparare dalle finestre, mentre altri dieci escono dalla villa.

— Gambe in spalla,[1] fratellino! — dice Yanez.

— Non voglio lasciare Marianna da sola.

— Vieni o ti porto via di peso![2] — risponde Yanez, tirandolo per il braccio.

Al tono deciso dell'amico, Sandokan si arrende e comincia a correre.

Attraversato il bosco del parco e i campi coltivati, i due arrivano in una foresta talmente fitta da impedire quasi il passaggio.

— Riposiamo qualche minuto. Qui non verrà nessuno a disturbarci — propone Sandokan, sospirando infelice.

— Non essere triste, Sandokan, — gli dice Yanez con tono quasi paterno — la tua Marianna avrà sicuramente saputo che siamo riusciti a fuggire.

1. **gambe in spalla** : (modo di dire) corri, scappa più in fretta possibile.
2. **ti porto via di peso** : (modo di dire) contro la tua volontà, trascinandoti.

— Non è questo che mi preoccupa: stavo pensando che, ora che sa della nostra presenza sull'isola, lord Guillonk vorrà partire al più presto per Vittoria.

— È vero; bisogna agire in fretta. Forse è meglio non attaccare la villa. Troviamo i nostri uomini e assaliamo Guillonk lungo la strada per Vittoria, rapiamo Marianna e ce ne torniamo a Mompracem.

— Buona idea, faremo così — risponde Sandokan, tranquillizzato dalla proposta dell'amico. — E ora rimettiamoci in marcia.

I due amici entrano nella foresta, facendosi strada faticosamente, quando ad un tratto sentono una voce che li chiama: — Capitano!

È Paranoa, il comandante di uno dei prahos.

— Paranoa! — esclamano allegramente — Cosa ci fai qui?

— Vi cercavo, capitano.

— Come facevi a sapere che eravamo qui?

— Ho visto degli inglesi gironzolare [1] ai margini della foresta e ho immaginato che cercassero voi.

— Bravo, Paranoa! I prahos sono arrivati tutti?

— Quando sono partito ieri mattina per cercarvi, ero arrivato soltanto io.

— Forse la tempesta li ha trasportati molto a nord — dice Sandokan pensieroso.

— Il vento soffiava tremendamente. Io sono già arrivato perché ho avuto la fortuna di trovare riparo in una piccola baia a sole sessanta miglia da qui.

---

1. **gironzolare** : (qui) girare cercando qualcosa.

Sandokan e le tigri di Mompracem

— Sono comunque molto preoccupato — dice Sandokan — Paranoa, hai perduto qualche uomo durante la tempesta?

— Nessuno, capitano.

— E la nave ha avuto danni?

— Pochissimi e sono già stati riparati.

— Partiamo. Ho fretta di arrivare alla baia.

— Hai paura che i due prahos siano andati perduti? — gli chiede Yanez.

— Purtroppo sì.

Al tramonto arrivano alla spiaggia e fanno nascondere il praho di Paranoa sotto le canne,[1] ai margini della palude. Gli altri due prahos non sono ancora arrivati.

— Coraggio, — dice Yanez a Sandokan, che ha l'espressione preoccupata — forse le nostre navi sono molto lontane e prima di riprendere il mare devono riparare i danni subìti...

— Ma io non posso aspettare. Guillonk partirà tra poco per Vittoria!

— Stai tranquillo, Sandokan: se abbandonerà la villa, abbiamo uomini a sufficienza per assalirlo e rapire la sua graziosa nipote. Vieni! Mangiamo un boccone e poi andiamo a dormire: domani ci aspetta una giornata faticosa.

Il giorno dopo, Yanez conduce Sandokan in una radura,[2] dove li aspettano venti uomini armati di tutto punto.

— Ci siete tutti? — chiede Yanez.

— Tutti! — rispondono in coro gli uomini.

---

1. **canne** : piante con fusto alto e robusto, simile ad un bastone, che crescono nei laghi e nelle zone paludose.
2. **radura** : spazio senza alberi dentro un bosco.

— Allora ascoltatemi attentamente. Ykaut, tu torna a bordo. Qualunque cosa succeda, manderai qui un uomo che troverà un compagno in attesa di ordini.

Ykaut salta sulla scialuppa per tornare alla nave e Yanez si rimette in marcia in testa al gruppo di uomini.

— Ma cosa combini? [1] — chiede Sandokan.

— Aspetta e vedrai, fratellino. Quanto è lontana la villa dal mare?

— Circa due miglia.

— Abbiamo uomini a sufficienza.

— A sufficienza per cosa?

— Un attimo di pazienza, Sandokan.

Percorsi quattrocento metri, Yanez si ferma di nuovo e si rivolge a uno dei marinai:

— Tu aspetterai qui. Se hai bisogno di qualcosa, Ykaut è sulla nave a quattrocento metri circa da te e a uguale distanza, a est, ci sarà un altro uomo. Hai capito?

— Sì, signor Yanez.

— Bene, continuiamo.

Sandokan capisce e si illumina: — Davvero ingegnoso! Potremo comunicare in pochi minuti col praho per ordinare di prendere subito il mare o di mandarci dei soccorsi.

— Esattamente. Quando il lord abbandonerà la villa potremo radunare in una mezz'ora questi venti uomini e in meno di un'ora tutto l'equipaggio del praho.

— E noi dove ci accamperemo? — chiede Sandokan.

— Sul sentiero che conduce a Vittoria. E ora facciamo colazione; questa passeggiata mattutina mi ha messo appetito.

---

1. **cosa combini?** : (modo di dire) cosa fai?

Comprensione

CELI 3

1 Rileggi il capitolo e segna con una ✗ la lettera corrispondente all'affermazione corretta.

1 Yanez e Sandokan partono da Mompracem
   a ☐ prima che si scateni la tempesta.
   b ☐ nonostante la tempesta.
   c ☐ quando il mare si è calmato.
   d ☐ perché Sandokan non può aspettare.

2 Sandokan sventola verso il praho
   a ☐ la sciabola.
   b ☐ la fascia del turbante.
   c ☐ la sciarpa di seta rossa.
   d ☐ la fascia che ha in vita.

3 Sandokan e Yanez arrivano davanti alla villa
   a ☐ all'alba.
   b ☐ al tramonto.
   c ☐ di sera.
   d ☐ di notte.

4 Quando vedono un soldato che fa la guardia
   a ☐ Sandokan lo minaccia con il fucile.
   b ☐ Yanez lo blocca a terra.
   c ☐ Sandokan lo imbavaglia.
   d ☐ Yanez gli lega caviglie e polsi.

5 Yanez e Sandokan decidono di
   a ☐ partire al più presto per Vittoria.
   b ☐ attaccare la villa.
   c ☐ rapire Marianna.
   d ☐ tornare a Mompracem.

Modi di dire

Ogni lingua possiede modi di dire e proverbi che la caratterizzano: in molti casi, una semplice traduzione letterale non basta a spiegarne il significato.

In questo capitolo ne hai incontrati alcuni: *un gioco da ragazzi, gambe in spalla, portare via di peso...*

Esistono nella tua lingua espressioni con lo stesso significato?

2 **Abbina i seguenti modi di dire al loro esatto significato.**

1 ☐ Sudare sette camicie
2 ☐ Tagliare la corda
3 ☐ Con il vento in poppa
4 ☐ Prendere un granchio
5 ☐ Promesse da marinaio

a Promesse che non si mantengono
b Sbagliarsi di grosso, equivocare
c Affaticarsi molto
d Fuggire rapidamente
e Essere in una situazione favorevole

4
www.cideb.it

3 **Un'altra difficoltà della lingua italiana: le consonanti doppie! Ascolta attentamente e segna la parola che senti pronunciare.**

	a			b	
1	a ☐ casa		b ☐ cassa
2	a ☐ tuta		b ☐ tutta
3	a ☐ beve		b ☐ bevve
4	a ☐ copia		b ☐ coppia
5	a ☐ caro		b ☐ carro
6	a ☐ cane		b ☐ canne
7	a ☐ pena		b ☐ penna
8	a ☐ pala		b ☐ palla

57

Competenze linguistiche

1 Unisci i verbi ai corrispondenti sinonimi o definizioni.

1	barcollare	a	saltare
2	frantumarsi	b	camminare con difficoltà
3	mormorare, bisbigliare	c	rompersi
4	balzare	d	stare zitto
5	tacere	e	preparare un riparo temporaneo
6	stramazzare	f	esaminare, controllare
7	setacciare	g	agitare in aria
8	accamparsi	h	cadere di colpo, pesantemente
9	sventolare	i	parlare a bassa voce, sussurrare

2 Completa le frasi con la parola adatta.

> riparo   ingegnoso   palude   testardo
>
> lamentarsi   di tutto punto   scialuppa

1 A volte il mio capo mi accusa di essere ....

2 Non andrei mai in una .... perché ci sono troppe zanzare!

3 L'hai fatto tu? Sei veramente ....

4 Se una nave affonda, l'unica cosa da fare è calarsi in mare con una ....

5 Vi siete vestiti .... e siete andati all'appuntamento.

6 Sta cominciando a piovere. Cerchiamo un ....

7 È veramente noioso: non smette un attimo di ....

Produzione orale

1 Descrivi quello che è rappresentato nella foto.

2 Che tipo di vacanza ti piace (mare, montagna, campagna, vacanze culturali...)? Per quali ragioni?

3 Se dovessi decidere per una vacanza in mare preferiresti una crociera organizzata o un giro con pochi amici, in barca a vela o in yactht? Perché?

4 Dove vorresti andare?

CAPITOLO 5

L'imboscata

Yanez e Sandokan hanno appena finito di mangiare, quando arriva Paranoa di corsa: — Qualcuno si avvicina in sella ad un cavallo, mio capitano.

— È qualcuno che viene da Vittoria. Potrebbe avere notizie interessanti. Yanez, facciamolo prigioniero. Paranoa, vai a prendere una corda e legala a quei due tronchi.

Pochi istanti dopo, appare sul sentiero un soldato indiano a cavallo.

Appena il cavallo inciampa[1] nella corda e cade al suolo, Sandokan immobilizza il sergente e gli punta il kriss al petto.

— Parla o ti uccido. Dove stavi andando?

— Da lord Guillonk. Gli devo consegnare una lettera del baronetto Rosenthal.

— Dammela! — esclama Sandokan con rabbia.

— È nascosta sotto la fodera del mio elmo.

---

1. **inciampa** : urta con la zampa in un ostacolo e perde l'equilibrio.

Yanez prende la lettera e comincia a leggere: — Boh,... cose vecchie: il baronetto Rosenthal avverte il lord del nostro sbarco a Labuan e... invia mille rispettosi saluti alla tua Marianna, con un giuramento di amore eterno!

— Maledetto!

— Paranoa, spoglia il soldato — ordina il portoghese. E poi, rivolto a Sandokan: — Calmati, fratellino. Andrò dal lord travestito con gli abiti del soldato e gli dirò che voi siete stati vinti e allontanati, ma che altri prahos si stanno avvicinando. Gli consiglierò di partire al più presto per Vittoria.

— ... e dirai alla mia Marianna che la amo e di avere fiducia in me — aggiunge Sandokan.

— Certo, fratellino, non ti preoccupare — risponde Yanez con un sorriso divertito. Indossa gli abiti del soldato e parte al galoppo.

La missione del portoghese era molto pericolosa: bastava una parola sbagliata per essere smascherato. Ma Yanez confidava nel suo sangue freddo, nella sua astuzia e — soprattutto — nella sua buona stella.

Dopo due ore arriva alla villa.

— Chi va là? — chiede un soldato.

— Ehi, giovanotto, abbassa il fucile. Non vedi che sono un tuo superiore? Vengo per ordine del baronetto Rosenthal e devo parlare con lord Guillonk.

— Passate — risponde la sentinella.

Dopo pochi minuti Yanez arriva davanti alla palazzina e si fa accompagnare nello studio del lord. L'uomo è seduto davanti a un tavolo, con un'espressione preoccupata.

— Venite da Vittoria, da parte del baronetto?

— Sì, Milord.

— Vi ha dato una lettera per me?

Sandokan e le tigri di Mompracem

— No, ma mi ha dato l'incarico di dirvi che questa mattina all'alba le nostre truppe hanno circondato Sandokan e la sua banda di pirati in una baia a sud.

Il lord salta in piedi con un'espressione raggiante.

— Meraviglioso! Ma voi chi siete?

— Un parente del baronetto.

— E dov'è il mio buon amico Rosenthal?

— Alla testa delle truppe. Mi ha incaricato di consigliarvi di abbandonare la villa e andare a Vittoria. Se la Tigre riesce a vincere i nostri uomini, potrebbe attraversare il bosco e venire alla villa.

— Rosenthal ha ragione; sarei più al sicuro sotto le fortificazioni di Vittoria.

— Milord, posso dire due parole a Marianna da parte del baronetto?

— Vi accoglierà male.

— Non importa, Milord, voglio comunque fare il mio dovere.

Il vecchio capitano acconsente e ordina a un servo di accompagnare Yanez da Marianna.

Il servo lo fa entrare in un salotto, dove il portoghese intravede una figura umana sdraiata su un divano con il mento appoggiato alla mano. Per quanto preparato, Yanez rimane sbalordito dalla bellezza della ragazza.

— Chi siete? Cosa volete da me? — gli chiede Marianna, riscuotendosi dai suoi pensieri malinconici.

— Prima una domanda: ci sente qualcuno?

— No, siamo soli — risponde lei incuriosita.

— Io vengo da molto lontano, da Mompracem...

Marianna balza in piedi illuminandosi.

— Voi? Un inglese?

— Non sono inglese, sono portoghese. Mi chiamo Yanez.

Sandokan e le tigri di Mompracem

— Yanez, il caro amico di Sandokan! Dov'è? Sta bene? Parlate.

— Sandokan è nascosto sul sentiero che porta a Vittoria, pronto a rapirvi e portarvi via. Io sono venuto per convincere vostro zio ad abbandonare la villa e andare a Vittoria.

— E mio zio?

— Gli risparmieremo la vita, ve lo prometto.

— E dove mi porterà Sandokan?

— Alla sua isola.

Marianna china il capo sul petto, silenziosa.

— Milady, non abbiate paura, — le dice dolcemente Yanez, che ha capito le paure della ragazza — Sandokan è uno di quegli uomini che sanno far felice la donna che amano.

— Vi credo. — risponde Marianna rincuorata — Io abbandonerò Labuan e lui Mompracem; andremo lontano da questi mari crudeli e saremo felici.

— Ora devo andare; vostro zio mi ha invitato a cena. Addio, milady — dice Yanez baciandole la mano.

Il portoghese esce confuso, abbagliato[1] da tanta bellezza.
— Per Giove! Comincio a invidiare Sandokan!

Il lord lo aspetta preoccupato e nervoso.

— Allora, giovanotto; che accoglienza vi ha fatto mia nipote?

— Pare che non ami sentire parlare di mio cugino.

— Sempre così, sempre così! — mormora il lord a denti stretti.
— Dobbiamo partire al più presto. Ma come faremo se Sandokan ha lasciato degli uomini imboscati[2] vicino al parco?

— Milord, io non ho paura di loro. Volete che faccia un giro nei dintorni?

1. **abbagliato** : come colpito da un raggio di luce negli occhi.
2. **imboscati** : nascosti per attaccare il nemico quando e dove non se l'aspetta.

— Ve ne sarei grato.

— Torneò tra un paio d'ore.

Ciò detto, Yanez fa il saluto militare ed esce.

— Andiamo a cercare Sandokan, — mormora con un sorriso — bisogna pur far contento il lord!

Una volta uscito dal parco, Yanez si lancia nella foresta, finché non incontra Paranoa.

— Corri da Sandokan, Paranoa, e digli di venire qui — ordina il portoghese. — Avvisa anche Juioko di preparare il praho.

— Ce ne andiamo?

— Questa notte, probabilmente.

Dopo neanche venti minuti arriva Sandokan.

— Yanez, amico mio! L'hai vista? Le hai parlato? Raccontami, su!

— Come corri! — dice il portoghese ridendo — È andato tutto bene. Ho incontrato il lord e Marianna.

— Quanti soldati ci sono alla villa? — chiede Sandokan alla fine del racconto dell'amico.

— Solo una ventina; la vittoria è assicurata. Ora devo tornare... il lord mi ha addirittura invitato a cena!

Yanez torna al parco e incontra Marianna.

— Vi cercavo, — gli dice la ragazza — tra cinque ore partiamo per Vittoria.

— Splendido! Sandokan è pronto e vi aspetta.

I due si incamminano insieme verso la villa e salgono nella sala da pranzo, dove Guillonk passeggia nervosamente.

— Avete visto qualcuno?

— No; nessuno, Milord.

Il lord sta in silenzio per alcuni secondi, poi si rivolge alla nipote, con tono combattivo: — Verrai anche tu a Vittoria?

— Sapete meglio di me che non ho scelta — risponde la ragazza con rabbia.

— O ti piegherai, o ti spezzerò — dice il lord infuriato.

Per tutta risposta, Marianna esce sbattendo la porta.

Malgrado la tensione tra lei e lo zio, al momento di partire la ragazza piange all'idea di abbandonare il suo unico parente e andare incontro ad un destino incerto e misterioso.

Il gruppo si mette in marcia e Yanez si affianca a Marianna per proteggerla dallo zio, il quale è pronto ad ucciderla pur di non lasciarla fuggire con Sandokan.

Percorse circa due miglia, si sente un fischio.

— Avete sentito? — chiede Yanez al lord, sfoderando[1] la sciabola.

— Sì, cosa significa?

— Che i miei amici ci stanno circondando — dice Yanez freddamente.

— Ah, traditore! — urla l'inglese estraendo a sua volta la sciabola e lanciandosi contro la nipote.

— Troppo tardi! — dice Yanez sollevando Marianna dalla sella e portandola al riparo.

In quel momento due scariche di fucile partono dai lati del sentiero e trenta tigrotti attaccano la scorta.

Sandokan, con la scimitarra in pugno, cerca di raggiungere Yanez, che combatte da solo contro il lord e altri soldati:

— Resisti, Yanez, sto arrivando.

Proprio in quel momento la sciabola del portoghese si spezza in due. Con un urlo selvaggio Sandokan si getta contro i soldati e li uccide, mentre Yanez scaglia Guillonk contro il tronco di un albero, lasciandolo intontito.

---

1. **sfoderando** : tirando fuori dalla fodera che serve per appendere in vita le armi.

Comprensione

1 **Rileggi il capitolo e rispondi alle domande.**
(da un minimo di 10 a un massimo di 25 parole)

1   Come viene catturato il soldato indiano?

....

....

....

2   Cosa decide di fare Yanez?

....

....

....

3   Durante l'incontro con Yanez, Marianna dimostra tre stati d'animo. Quali?

....

....

....

4   Con quale scusa Yanez si allontana dalla villa?

....

....

....

5   Qual è l'atteggiamento di Marianna nei confronti dello zio?

....

....

....

6   Cosa fanno Yanez e Sandokan durante l'imboscata?

....

....

....

2 Indica con una ✗ se le affermazioni sono vere (V) o false (F).

		V	F
1	Paranoa arriva mentre Sandokan e Yanez stanno mangiando.	☐	☐
2	Yanez si traveste da soldato indiano.	☐	☐
3	Yanez consegna a lord Guillonk la lettera di Rosenthal.	☐	☐
4	Yanez chiede di vedere Marianna per darle un messaggio di Rosenthal.	☐	☐
5	Lord Guillonk teme che vicino al parco ci siano degli uomini di Sandokan.	☐	☐
6	Marianna si rifiuta di andare a Vittoria con lo zio.	☐	☐
7	Durante l'imboscata, Sandokan salva la vita a Yanez.	☐	☐

5

www.cideb.it

3 Ascolta il testo che tratta di un viaggio organizzato nel Borneo Malese e completa le frasi con poche parole (*massimo tre*).

1 Il viaggio ha lo scopo di visitare luoghi che hanno .... alla saga di Sandokan.

2 Secondo gli organizzatori, Sandokan non è solo il personaggio di una ....

3 Kuala Lumpur è il .... dell'itinerario salgariano.

4 L'isola di Tiga era una delle basi .... di Sandokan e Yanez.

5 Per il sesto giorno di viaggio è prevista una visita alla .... della famiglia di Sandokan.

6 Esiste la possibilità che gli eredi dell'eroe salgariano siano mercanti di ....

7 Oggi l'isola di Labuan è un centro finanziario internazionale in cui si stagliano grattacieli dalle ....

8 La salgariana Mompracem è Keraman, che significa l' ....

Competenze linguistiche

1 Collega ogni parola al suo sinonimo o alla sua definizione.

1	sentinella	a	felice
2	incarico	b	guardia
3	astuzia	c	luogo nascosto e/o protetto
4	raggiante	d	vestito
5	capo	e	frastornato, confuso
6	riparo	f	tessuto all'interno dei capi di abbigliamento
7	scorta	g	compito di responsabilità affidato a qualcuno
8	intontito	h	furbizia, intelligenza
9	fodera	i	copricapo militare che protegge la testa
10	elmo	l	testa
11	abito	m	una o più persone che proteggono qualcosa o qualcuno

2 Collega ogni verbo al suo sinonimo o contrario.

1	travestirsi	a	vedere in modo incerto e confuso
2	apparire	b	liberare
3	immobilizzare	c	vietare
4	avvertire	d	urlare
5	acconsentire	e	scoraggiare
6	intravedere	f	mostrarsi
7	chinare	g	risvegliarsi
8	rincuorare	h	alzare
9	riscuotersi	i	avvisare
10	mormorare	l	rendersi riconoscibile

CAPITOLO 6

Due volte sconfitto

La notte era magnifica e la luna splendeva nel cielo senza
nuvole, riflettendo la sua luce sulle onde del vasto mare della
Malesia.

L'imbarcazione lascia la foce del fiumicello e si allontana da
Labuan.

Solo tre persone sono rimaste sul ponte: Yanez, taciturno,
triste e cupo, seduto a poppa con una mano sul timone;
Sandokan e Marianna a prua.

Il pirata stringe tra le braccia la ragazza e le asciuga le lacrime
dal viso.

— Amore mio, — le dice — non piangere. Io ti farò felice.
Dimenticherò tutto per te e diventerò un altro uomo.

Perderemo patria, amici, parenti; ma che importa? Ti darò una
nuova vita, più serena e felice.

Domani saremo al sicuro nella mia capanna; poi, quando non
ci sarà più pericolo, andremo dove vuoi.

— Pensi che Guillonk ci lascerà tranquilli? — chiede ad un tratto Yanez.

— No, non credo proprio. Quell'uomo è tenace [1] e vendicativo. Dobbiamo aspettarci un assalto.

— Credi che oserà attaccare la nostra isola?

— Ne sono certo. È ricco e influente; riuscirà a mettere insieme una flotta e verrà a Mompracem. Noi combatteremo la nostra ultima battaglia.

— L'ultima? Perché dici così, Sandokan?

— Perché Mompracem perderà il suo capo. La mia carriera sta per finire; cambierò vita. La Tigre morirà per sempre.

— Povera Mompracem, ridiventerà deserta come prima del tuo arrivo — esclama Yanez. — E se perdiamo? Gli olandesi sono alleati degli inglesi nella lotta contro la pirateria; le due flotte potrebbero unirsi.

— In questo caso farò saltare in aria tutta l'isola, compresi il villaggio e i prahos — risponde la Tigre; poi piega la testa sul petto e sospira:

— Yanez, ho un brutto presentimento.

Prima che l'amico abbia il tempo di chiedergli spiegazioni, si alza e scende nella sua cabina.

L'indomani, a sole sessanta miglia da Mompracem, Yanez avvista una cannoniera.

— Non ci attaccherà, perché ha solo un cannone — dice Sandokan. — Ma viene da est, forse da Mompracem. Non vorrei che durante la nostra assenza avessero bombardato l'isola.

---

1. **tenace** : non si scoraggia, mantiene i suoi obiettivi e le sue idee.

Sandokan e le tigri di Mompracem

— Guarda, Sandokan, — lo interrompe Yanez — ci segue a distanza.

In effetti, la piccola cannoniera si era avvicinata fino a circa mille metri, poi aveva virato, ma senza allontanarsi del tutto.

Verso mezzogiorno un pirata avvista Mompracem. Yanez e Sandokan si precipitano a prua, seguiti da Marianna. Dopo un'ora la nave entra nella baia... l'isola è completamente distrutta: pochi prahos rimasti, i bastioni gravemente danneggiati, le capanne arse, il villaggio semideserto.

— Come temevo! — esclama Sandokan — Il nemico ha assaltato l'isola; ma grazie ai miei tigrotti non l'ha conquistata!

Mompracem aveva vinto, è vero, ma la violenza e la distruzione avevano lasciato il segno.

Sandokan conduce Marianna davanti ai suoi uomini, che lanciano un grido di sorpresa e di ammirazione:

— La Perla di Labuan! Viva la Perla!

— Il nemico è vicino, amici; gli inglesi vogliono vendicare gli uomini che ho ucciso a Labuan e riprendere questa fanciulla.

— Tigre della Malesia — dice uno dei capi — finché saremo vivi, nessuno rapirà la Perla di Labuan!

— Grazie, amici! — dice Sandokan, guardando commosso i suoi uomini, pronti ad offrire la loro vita per difendere proprio la donna che era stata la causa principale delle loro sciagure.

Poi la Tigre accompagna Marianna alla capanna:

— Ecco la tua dimora.[1] Non è degna di te, ma almeno è sicura.

— Sandokan, perché soffri? Vuoi che rimanga su quest'isola fra i tuoi tigrotti, che combatta accanto a te?

---

1. **dimora** : abitazione, casa.

— Tu! — esclama il pirata — Non ti chiederò mai una cosa simile. Avere te ed essere ancora la Tigre della Malesia... Sarebbe troppo per me!

Ciò detto, Sandokan raggiunge Yanez e i suoi uomini, che si preparano alla battaglia.

Calata la notte, la Tigre fa imbarcare tutte le sue ricchezze su un grande praho e lo manda assieme ad altri due sulle coste occidentali, in modo da poter fuggire facilmente se fosse stato necessario. A mezzanotte fa chiamare i capi di tutte le bande per partecipare ad una riunione nella sua capanna.

— Amici, miei fedeli tigrotti, — dice Sandokan — la mia missione vendicatrice è finita; sento di aver bisogno di riposo. Combatterò quest'ultima battaglia, poi darò l'addio a Mompracem e andrò su un'isola lontana con questa donna che amo e che diventerà mia moglie. Se vorrete continuare le mie imprese, vi lascerò le mie navi e i miei cannoni; se preferite seguirmi, vi considererò ancora come miei figli.

— Mio capitano, — esclama Giro-Batol piangendo come un bambino — rimanete con noi.

— Milady, — aggiunge Paranoa — rimanete anche voi. Vi difenderemo da chiunque voglia farvi del male o portarvi via.

Marianna li guarda commossa e poi si rivolge a Sandokan:

— Se io ti chiedessi di rinunciare alle tue vendette e alla pirateria e in cambio decidessi di fare di quest'isola la mia patria, accetteresti?

L'espressione felice del pirata è sufficiente per convincere Marianna: — Va bene; rimarrò qui!

I pirati gridano: — Viva la regina di Mompracem! Guai a chi la tocca!

Sandokan e le tigri di Mompracem

Il giorno seguente viene dedicato interamente ai preparativi. La regina di Mompracem, bella e affascinante, incoraggia gli uomini con parole gentili e sorrisi; Sandokan si dà da fare con energia.

Verso mezzogiorno tornano i pirati che erano partiti la sera prima con i tre prahos, altri partono verso i villaggi vicini per chiedere aiuto agli uomini più validi.

Durante la notte Sandokan fa svuotare e affondare nella baia gli altri prahos, affinché non cadano nelle mani del nemico.

All'alba del giorno dopo Sandokan, Marianna e Yanez, che dormivano nella capanna, vengono svegliati bruscamente.

— Il nemico! Il nemico! — gridano tutti i pirati.

I tre escono dalla capanna e dall'alto della rupe guardano verso la baia. A sei o sette miglia di distanza, si avvicinava una flotta, schierata in ordine di battaglia: tre incrociatori inglesi, due corvette olandesi, quattro cannoniere, una nave spagnola e perfino otto prahos del sultano di Varauni. In tutto, circa centocinquanta cannoni e millecinquecento uomini.

— Compresi i duecento indigeni arrivati questa notte, noi siamo solo trecentocinquanta — mormora preoccupato Yanez.

— Venite, i minuti sono preziosi — dice Sandokan scendendo verso la baia.

Arrivati al villaggio, chiama sei dei più valorosi uomini e ordina loro di portare Marianna nei boschi, al riparo da ogni pericolo.

— Vai, Marianna. Se vinceremo, sarai ancora la regina di Mompracem, altrimenti fuggiremo e andremo a cercare la felicità su altre terre.

La abbraccia forte e poi corre verso i bastioni: — Tigri di Mompracem, — grida ai suoi uomini — non dimenticate che quelli sono gli uomini che vogliono rapire la Perla di Labuan e che hanno ucciso i nostri compagni.

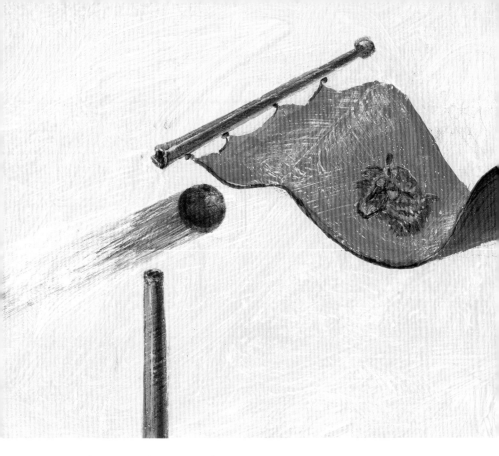

— Vendetta, vendetta! — urlano i pirati.

In quel momento parte il primo colpo di cannone dalla flotta nemica e abbatte proprio la bandiera della pirateria.

— Perderemo — mormora Sandokan tra sé, con voce triste; ma ai pirati grida: — Tigrotti, coraggio, fuoco a volontà!

Al suo ordine, le detonazioni [1] partono talmente numerose che la terra trema e l'intero villaggio sembra saltare in aria. La battaglia comincia e Mompracem, difesa da un piccolo gruppo di eroi, risponde colpo su colpo. Un praho del sultano viene incendiato e fatto esplodere, una cannoniera spagnola che aveva provato ad avvicinarsi viene affondata.

---

1. **detonazioni** : esplosioni causate dalle armi da fuoco (cannoni, fucili,...).

Sandokan e le tigri di Mompracem

Era evidente a tutti che, finché i bastioni [1] resistevano e c'era polvere da sparo, nessuna nave si sarebbe avvicinata alla costa e il villaggio sarebbe stato salvo.

Alle sei di sera, quando la flotta nemica sta per ritirarsi, giungono degli aiuti inaspettati: altri due incrociatori inglesi e una corvetta olandese.

— Le difese crolleranno; è solo una questione di ore — dice Sandokan scoraggiato.

La battaglia riprende con rinnovato vigore, ma i nemici sono troppi: in un'ora le tre linee dei bastioni di difesa crollano, una dopo l'altra.

Sandokan! — grida Yanez — Comanda la ritirata [2] o sarà troppo tardi.

Sandokan raccoglie tutte le forze per pronunciare quella parola mai detta prima.

Nel momento in cui i tigrotti, con le lacrime agli occhi, si ritirano nei boschi, il nemico sbarca e si lancia contro le trincee.

I settanta pirati sopravvissuti arrivano sulle rive di un torrente disseccato, dove li aspettano Marianna e i sei uomini che la proteggono.

La ragazza si precipita tra le braccia di Sandokan, che la stringe teneramente al petto.

— Dio sia lodato, sei ancora vivo!

— Vivo sì, ma sconfitto! — risponde lui tristemente.

In lontananza si vede una luce: il villaggio incendiato.

La truppa si rimette in marcia e raggiunge alle undici di sera

---

1. **bastioni** : fortificazioni, costruzioni che servono a difendere un territorio.
2. **ritirata** : fuga per non essere fatti prigionieri.

un piccolo villaggio sulle coste occidentali, dove sono ancorati i tre prahos.

Sandokan emette un profondo sospiro: — Imbarchiamoci.

Hanno già percorso sei miglia quando in mezzo alle tenebre compaiono due punti luminosi.

— Gli incrociatori! — grida una voce.

Sandokan, che si era seduto a poppa con gli occhi fissi sull'isola che scompariva lentamente, si alza di scatto: — Ancora il nemico! — mormora con rabbia — Marianna, scendi nella tua cabina, amore mio.

— Non affrontare un altro combattimento, Sandokan. Non riusciamo a fuggire?

— Sono imbarcazioni a vapore, sono troppo veloci per le nostre barche a vela. Chissà, però... l'alba è vicina e al sorgere del sole in queste zone il vento aumenta sempre.

— Ehi, fratello! — dice Yanez — Sono una cannoniera e una corvetta; cercano di tagliarci la strada. Guarda; si allontanano l'uno dall'altro per prenderci in mezzo. Muoviamoci verso il largo e tentiamo di passare fra le due navi.

Per venti minuti i pirati cercano inutilmente di eseguire la manovra,[1] ma gli incrociatori continuano ad avvicinarsi, imprigionandoli.

— Siamo perduti, vero, Sandokan? — dice Marianna stringendosi al pirata.

— Non ancora. Presto, torna nella tua cabina.

— Voglio rimanere al tuo fianco.

— No, Marianna. Se tu rimanessi accanto a me non riuscirei a combattere.

---

1. **manovra** : insieme di operazioni per spostare o mettere in movimento una nave (qui, passare in mezzo alle navi nemiche).

Sandokan e le tigri di Mompracem

In quell'istante, da una delle navi nemiche parte un colpo di cannone e la palla passa al di sopra del praho, perforando due vele.

— Si muovono contemporaneamente per speronarci! — grida Yanez.

In effetti, le due navi procedevano a tutto vapore come se volessero passare sopra i tre piccoli velieri.

Sandokan prende Marianna fra le braccia e la porta in cabina, poi si libera dolcemente dalla stretta della ragazza e corre sulle scale, urlando:

— Avanti, combattiamo da uomini valorosi!

La battaglia comincia. La cannoniera cerca di abbordare il praho di Yanez, ma ha la peggio; la corvetta, una nave enorme, si getta contro le due imbarcazioni comandate da Sandokan.

Nonostante il coraggio dei pirati, è impossibile resistere al nemico: la situazione è disperata. Sandokan fa imbarcare sul suo praho l'equipaggio dell'altro, che stava affondando; poi, sfoderata la scimitarra, grida:

— Su, tigrotti! All'arrembaggio!

La disperazione centuplica[1] le forze dei pirati.

Con un balzo da leone, Sandokan sale sul ponte della nave nemica e, seguito dai suoi uomini, respinge i marinai della corvetta fino a poppa, ma da prua irrompe un altro gruppo di uomini comandati da un ufficiale che la Tigre riconosce subito.

— Ah! Sei tu, baronetto! — dice la Tigre, precipitandosi contro di lui. Con un colpo di scimitarra lo atterra, poi gettandosi sopra di lui gli pianta il kriss nel cuore, ma subito dopo cade al suolo, colpito alla testa dal manico di un fucile.

---

1. **centuplica** : aumenta, moltiplica per cento.

Comprensione

1 Indica con una **✗** se le affermazioni sono vere (V) o false (F).

		V	F
1	Sandokan promette a Marianna che torneranno a Labuan.	☐	☐
2	Sandokan non pensa che il lord li lascerà tranquilli.	☐	☐
3	Gli olandesi lottano insieme agli inglesi contro i pirati.	☐	☐
4	Prima di arrivare a Mompracem i pirati vengono attaccati da una cannoniera.	☐	☐
5	In assenza di Sandokan, Mompracem è stata attaccata e distrutta.	☐	☐
6	I pirati accolgono con sorpresa e ammirazione Marianna.	☐	☐
7	Sandokan chiede a Marianna di rimanere a Mompracem.	☐	☐
8	Sandokan manda tre prahos sulle coste occidentali.	☐	☐
9	Marianna accetta di entrare a far parte della pirateria.	☐	☐
10	I pirati chiedono aiuto agli abitanti dell'isola.	☐	☐
11	Al tramonto viene avvistata la flotta nemica.	☐	☐
12	I pirati sono solo 200 contro i 1500 uomini della flotta nemica.	☐	☐
13	Una cannonata abbatte la bandiera dei pirati.	☐	☐
14	In un'ora crollano tutti i bastioni dell'isola.	☐	☐
15	Sandokan affronta subito le due navi nemiche che lo rincorrono.	☐	☐
16	I pirati hanno la meglio sulla cannoniera nemica.	☐	☐

Ora correggi le frasi false.

Grammatica

Il futuro semplice

- Il futuro esprime un fatto o un'azione che si realizzerà in un tempo futuro prossimo o lontano:
  Dimenticherò tutto per te e diventerò un altro uomo.

- Si usa anche per esprimere dubbio, incertezza:
  Credi che oserà attaccare la nostra isola?

- Nelle frasi ipotetiche quando l'ipotesi appare reale:
  Se vorrete continuare le mie imprese, vi lascerò le mie navi...

Formazione

Perderemo patria, amici, parenti; ma che importa? Io ti farò felice.

- I **verbi regolari** formano il futuro semplice aggiungendo tra la radice del verbo e le desinenze -rò, -rai, -rà, -remo, -rete, -ranno la vocale tematica **-e** (1° e 2° coniugazione) o **-i** (3° coniugazione):

  amare   →   *am-**e**-rò, am-e-rai, am-e-rà, am-e-remo, am-e-rete, am-e-ranno*

  perdere   →   *perd-**e**-rò, perd-e-rai, perd-e-rà, perd-e-remo, perd-e-rete, perd-e-ranno*

  sentire   →   *sent-**i**-rò, sent-i-rai, sent-i-rà, sent-i-remo, sent-i-rete, sent-i-ranno*

- Nei **verbi irregolari** il meccanismo di formazione è identico, ma a volte:
  - cambia la vocale tematica   (*fare* → *farò, farai, farà, faremo, farete, faranno*)
  - manca la vocale tematica   (*andare* → ***and**-rò, **and**-rai, **and**-rà, **and**-remo, **and**-rete, **and**-ranno*)
  - cambia la radice del verbo   (*volere* → ***vor**-rò, **vor**- rai, **vor**-rà, **vor**-remo, **vor**-rete, **vor**-ranno*)

- I **verbi ausiliari**, ovviamente, seguono una coniugazione propria:

  essere   →   *sa-rò, sa-rai, sa-rà, sa-remo, sa-rete, sa-ranno*

  avere   →   *av-rò, av-rai, av-rà, av-remo, av-rete, av-ranno*

1 Rileggi il primo paragrafo del capitolo, trova tutti i verbi al futuro e completa.

0	_farò_	_fare_	9	....
1	....	....	10	....
2	....	....	11	....
3	....	....	12	....
4	....	....	13	....
5	....	....	14	....
6	....	....	15	....
7	....	....	16	....
8	....	....	17	....

6
www.cideb.it

2 Ascolta nuovamente questa parte del capitolo e completa.

— Amici, miei fedeli tigrotti, — dice Sandokan — la mia missione vendicatrice è finita; sento di aver bisogno di riposo.
(**1**) .... quest'ultima battaglia, poi
(**2**) .... l'addio a Mompracem e
(**3**) .... su un'isola lontana con questa donna che amo e che (**4**) .... mia moglie.
Se (**5**) .... continuare le mie imprese, vi
(**6**) .... le mie navi e i miei cannoni; se preferite seguirmi, vi (**7**) .... ancora come miei figli.

— Mio capitano, — esclama Giro-Batol piangendo come un bambino — rimanete con noi.

— Milady, — aggiunge Paranoa — rimanete anche voi. Vi
(**8**) .... da chiunque voglia farvi del male o portarvi via.

Competenze linguistiche

1 Completa le frasi con la parola opportuna (verbo, sostantivo, aggettivo, avverbio) formandola da quella fornita.

0   Era così ....<u>emozionata</u>................ che le tremavano le gambe.
    EMOZIONE

1   Lo .... della luna illuminava il mare.
    SPLENDERE

2   Yanez teme l'.. della flotta inglese e olandese.
    UNIRE

3   — Come temevo! — esclama Sandokan ....
    RABBIA

4   Marianna è una donna ....
    CORAGGIO

5   I pirati vogliono .... i loro compagni.
    VENDETTA

6   Sandokan guarda i pirati con ....
    COMMOSSO

7   I pirati sono costretti a ....
    FUGA

8   Sandokan si dà da fare ....
    ENERGIA

9   Yanez guarda il mare con ....
    TRISTE

10 La .... di parenti e amici non spaventa
    Sandokan.
    PERDERE

11 Lord Guillonk è ....
    VENDETTA

12 Sandokan e Marianna vengono svegliati ....
    BRUSCO

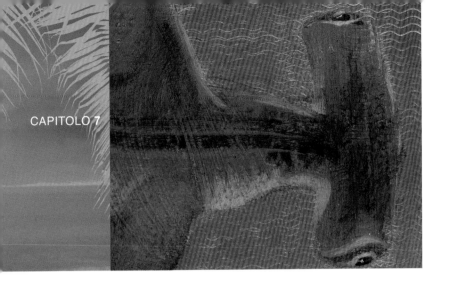

Due morti in fuga

Quando torna in sé, Sandokan si trova in catene nella stiva della corvetta.

— Prigioniero!... — esclama a denti stretti, piegando i polsi per spezzare le catene — Cosa mi è successo? Marianna, Yanez, tigrotti!... Non risponde nessuno... Morti!... Tutti morti!...

Preso dalla disperazione, si alza e si scaglia verso l'uscita gridando:

— Uccidetemi, uccidetemi!...

Ad un tratto sente una voce:

— Capitano, siete voi? Almeno voi siete sfuggito alla strage!

— Juioko!... Quale strage? Allora sono davvero morti tutti gli uomini valorosi che ho guidato all'arrembaggio di questa nave?

— Sì, tutti.

— E Marianna?

Sandokan e le tigri di Mompracem

— Lei è ancora viva; l'hanno portata su questa nave. L'acqua aveva invaso la sua cabina e lei è salita sul ponte chiamandovi a gran voce. Alcuni marinai inglesi l'hanno vista e hanno gettato in mare una scialuppa per salvarla, pochi istanti prima che il praho affondasse.

— Sei sicuro che Marianna non sia stata portata sulla cannoniera?

— È impossibile: la cannoniera è stata affondata da Yanez. L'ho visto con i miei occhi fuggire a vele spiegate.

Sandokan tace. Aveva perso la sua isola, tutti gli uomini che lo avevano seguito in cento battaglie e la ragazza che amava. Ma in un uomo del genere la disperazione non può durare a lungo: dopo una decina di minuti Juioko lo vede balzare in piedi con espressione sicura e addirittura sorridente.

— Sicuramente Yanez ci sta seguendo... riusciremo a fuggire.

— E come? — chiede il marinaio.

— Quando un uomo muore a bordo di una nave, cosa ne fanno?

— Lo buttano in mare.

— Appunto — risponde soddisfatto Sandokan.

— Volete suicidarvi? — chiede Juioko, attraversato dal dubbio che il dolore abbia fatto impazzire il suo comandante.

— Non proprio... — risponde con un sorriso Sandokan — Non ti preoccupare: scapperemo. Non mi credi?

— Ma non abbiamo neanche un kriss... e siamo incatenati!

Per tutta risposta Sandokan torce [1] con forza i polsi, poi con uno strappo si libera delle catene.

In quel preciso momento la scala scricchiola sotto i passi di alcuni uomini.

---

1. **torce** : piega e gira.

È il comandante, seguito da due marinai.

— Vi siete liberato... una bella forza, signore, non c'è che dire — dice ammirato.

— Non sono il tipo di uomo che resta a lungo in catene. Ma lasciate stare le chiacchiere; che cosa volete?

— Mi ha mandato qui una donna per vedere se avete bisogno di qualche cura.

— Marianna! Come sta? Parlatemi di lei!

— Io vi consiglierei di dimenticarla. Lady Guillonk è perduta per voi: appena arriveremo a Labuan, sarete impiccato.

— Avrei preferito la fucilazione: una morte da soldato — dice coraggiosamente Sandokan.

— Io, invece, vi avrei risparmiato la vita e vi avrei assegnato il comando di un esercito delle Indie — risponde il comandante. — Abbiamo bisogno di uomini coraggiosi come voi.

— Vi ringrazio, ma questo non mi salverà.

— Purtroppo no, signore. I miei compatrioti vi temono a tal punto che non si sentirebbero tranquilli anche se voi vi allontanaste per sempre da questi mari.

— Eppure, quando voi mi avete attaccato, stavo per abbandonare Mompracem e la mia vita da pirata. Desideravo una vita tranquilla con la donna che amo.

— La amate davvero così tanto?

— Tanto da aprire i fianchi di questo vascello e mandarvi tutti in fondo al mare!

— Non fate sciocchezze... una palla di fucile uccide anche l'uomo più coraggioso del mondo — risponde sorridendo l'inglese.

— Lo preferirei comunque all'impiccagione — dice Sandokan con cupa disperazione.

— Vi credo, Tigre della Malesia.

— Potrebbe succedermi qualcosa prima di arrivare a Labuan...

— Volete suicidarvi?

— Me lo impedireste? Che io muoia in un modo o in un altro, il risultato sarebbe identico.

— Non ve lo impedirei, ma non vi offrirò i mezzi per farlo.

— Non è necessario, possiedo un veleno fulminante. Ma prima, ve ne prego, permettetemi di vedere un'ultima volta Marianna.

— Ho avuto l'ordine di tenervi separati... ma a un uomo che sta per morire non si rifiuta niente — dice il comandante, dopo un attimo di esitazione. — Addio, Tigre della Malesia.

L'inglese chiama i soldati che avevano liberato dalle catene Juioko e risale lentamente in coperta. Sandokan rimane a guardarlo, con le braccia incrociate e uno strano sorriso sulle labbra.

— Buone notizie? — gli chiede Juioko.

— Sì; questa notte saremo liberi — risponde la Tigre.

Dopo circa mezz'ora, scende Marianna.

Sandokan si precipita verso di lei e la stringe forte tra le braccia.

— Amore mio, — esclama portandola al lato opposto della stiva — finalmente ti rivedo!

— Sandokan... — mormora la ragazza scoppiando in lacrime.

— Coraggio, Marianna, non piangere. Ho un piano per fuggire, ma tu mi devi aiutare.

Sandokan prende una scatoletta e le mostra alcune pillole rosse e dall'odore fortissimo.

— Contengono un veleno potente, ma non mortale, che sospende la vita di un uomo per sei ore. È un sonno che assomiglia perfettamente alla morte, in grado di ingannare il medico più esperto. Ora sono le sei; tra un'ora esatta io e Juioko ne inghiottiremo una ciascuno e lanceremo un urlo acuto. Tu

Due morti in fuga

dovrai fare in modo che ci buttino in acqua esattamente sei ore e due secondi dopo. Se ci riesci, getta anche qualche salvagente in mare e nascondi un'arma sotto i nostri vestiti.

— Ma tu dove andrai?

— Sono sicuro che Yanez ci sta seguendo. Radunerò armi e pirati e verrò a liberarti.

Le prende il viso tra le mani e la bacia con dolcezza. — Ora vai.

Uscita Marianna, il pirata si siede per terra con la testa fra le mani e aspetta pazientemente per un'ora. Poi, estratto l'orologio, dice a Juioko: — Sono le sette meno due minuti. È l'ora di fuggire.

I due pirati inghiottono la pillola, lanciano un urlo e stramazzano al suolo.

Il comandante, sentito l'urlo nonostante il rumore dei motori, si precipita nella stiva, seguito da alcuni ufficiali e dal medico di bordo.

— Sono morti — dice — quello che temevo è successo.

Il medico esamina i corpi e ne constata la morte. Il comandante sale in coperta, si avvicina a Marianna e le dà la triste notizia.

— Signore, — dice la ragazza con voce rotta dal pianto, ma energica, — vivi appartenevano a voi, morti appartengono a me.

— Vi lascio libera di fare ciò che preferite, ma vi do un consiglio: fateli gettare in mare prima di arrivare a Labuan. Vostro zio potrebbe far impiccare Sandokan, anche se è già morto.

— Grazie del consiglio, lo accetto di cuore. Ora fate portare i corpi a poppa e lasciatemi sola con loro.

Il comandante si inchina prima di allontanarsi e dà gli ordini necessari: dopo due minuti i due corpi vengono collocati su due tavole di legno a poppa, pronti per essere gettati in mare.

Marianna si inginocchia accanto a Sandokan, aspetta che nessuno la guardi, poi sfila dall'abito due pugnali e li nasconde

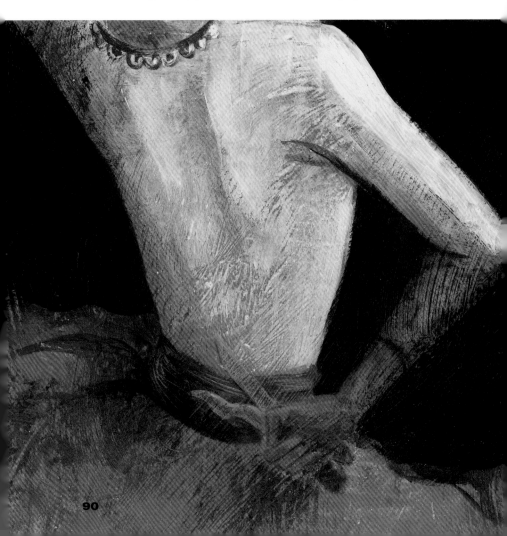

sotto i vestiti dei due pirati. Quindi si siede ai loro piedi, contando ora dopo ora, minuto dopo minuto, secondo dopo secondo.

All'una meno un quarto prende due salvagente e li getta in mare, poi chiama il comandante.

I marinai stanno già sollevando le tavole quando Marianna, scoppiando a piangere, grida: — Non ancora!

Si avvicina a Sandokan, lo bacia e sente che le labbra del pirata stanno riprendendo calore. È il momento giusto.

— Gettateli in mare! — dice con voce ferma e risoluta.

A contatto con l'acqua fredda i due pirati si svegliano immediatamente e cominciano a nuotare alla ricerca di Yanez. Per non consumare troppe energie, procedono lentamente a breve distanza l'uno dall'altro, cercando con ansia una vela all'orizzonte.

Dopo aver percorso un buon miglio, trovano i salvagente lanciati da Marianna.

— Ecco una fortuna che non mi aspettavo — dice allegro Juioko. — Da che parte ci dirigiamo ora?

— La corvetta veniva da nord-ovest, quindi abbiamo buone possibilità di trovare Yanez nuotando in quella direzione.

— E non pensate ai pescecani, capitano? In questi mari ce ne sono parecchi.

— Speriamo che ci lascino tranquilli. Forza, muoviamoci; se non incontriamo Yanez arriveremo a nuoto a Mompracem.

Per quanto coraggiosi, l'idea che un pescecane potesse attaccarli li preoccupa molto; Juioko è letteralmente terrorizzato.

— Capitano, vedete nulla? — chiede continuamente.

— No — risponde invariabilmente Sandokan, con voce tranquilla.

Sandokan e le tigri di Mompracem

— Mi è sembrato di sentire un respiro dietro di me.

— È l'effetto della paura; io non ho sentito niente.

— E questo tonfo?

— Sono i miei piedi. Stai tranquillo, Juioko.

I due nuotano già da un'ora buona, quando Sandokan si ferma e dice: — Hai visto anche tu?

— Sì, — gli risponde il marinaio battendo i denti dalla paura — mi sembra un pesce-martello.

— Non muoverti e tieni pronto il pugnale; è a cinquanta o sessanta metri da noi, forse non ci ha visto.

Sandokan e Juioko rimangono immobili alcuni minuti, quando all'improvviso vedono comparire la testa di un enorme pesce, che li fissa con i suoi orribili occhi giallastri, manda un rauco sospiro, si precipita verso di loro e con un balzo si getta addosso a Sandokan, che gli sta più vicino.

La Tigre della Malesia abbandona il salvagente, si immerge e aspetta: appena il pesce lo raggiunge sott'acqua, Sandokan lo afferra per una delle pinne del dorso e con una terribile pugnalata lo ferisce al ventre.

L'enorme animale marino si contorce e cerca di liberarsi dell'avversario risalendo a galla, ma Sandokan lo insegue e lo colpisce, questa volta mortalmente, in mezzo al cranio.[1]

1. **cranio** : testa.

Comprensione

CELI 3

1 **Rileggi il capitolo e rispondi alle domande.**
(da un minimo di 10 a un massimo di 25 parole)

1 Perché Marianna si è salvata dalla strage?

....

....

....

2 Perché Juioko teme che Sandokan sia impazzito?

....

....

....

3 Qual è l'atteggiamento del comandante inglese nei confronti di Sandokan? Giustifica la tua risposta.

....

....

....

4 Che potere hanno le pillole che Sandokan mostra a Marianna?

....

....

....

5 Marianna fa tutto ciò che Sandokan le ha chiesto. Cosa?

....

....

....

6 In che direzione nuotano i due pirati e perché?

....

....

....

7 Descrivi la lotta tra Sandokan e il pesce-martello.

....

....

....

2 Rileggi attentamente questa parte del capitolo. Sottolinea le parole diverse nel testo, scrivi quelle corrette e indica se si tratta di sinonimi o contrari.

— Capitano, vedete nulla? — chiede continuamente.

— No, — risponde <u>sempre</u> Sandokan con voce tranquilla.

— Mi è sembrato di sentire un respiro davanti a me.

— È l'effetto della paura; io non ho sentito niente.

— E questo rumore?

— Sono i miei piedi. Stai tranquillo, Juioko.

Sandokan e Juioko rimangono immobili alcuni minuti, quando all'improvviso vedono apparire la testa di un enorme pesce, che li guarda con i suoi orribili occhi giallastri, manda un acuto sospiro, si precipita verso di loro e con un balzo si getta addosso a Sandokan, che gli sta più lontano.

La Tigre della Malesia afferra il salvagente, si immerge e aspetta: appena il pesce lo raggiunge sott'acqua, Sandokan lo prende per una delle pinne del dorso e con una terribile pugnalata lo ferisce alla pancia. L'enorme animale marino si muove e cerca di liberarsi dell'avversario risalendo a galla, ma Sandokan lo segue e lo colpisce, questa volta mortalmente, in mezzo al cranio.

		sinonimo	contrario
0	invariabilmente	✗	☐
1	....	☐	☐
2	....	☐	☐
3	....	☐	☐
4	....	☐	☐
5	....	☐	☐
6	....	☐	☐
7	....	☐	☐
8	....	☐	☐
9	....	☐	☐
10	....	☐	☐
11	....	☐	☐

Competenze linguistiche

1 Completa le frasi con la parola adatta.

> a gran voce   a vele spiegate   spezza   torcendo   invaso
> scricchiolare   guidato   impiccato   fulminante   sospende
> constata   collocati   dirigersi   strage

Quando Sandokan si sveglia, Juioko gli racconta che tutti gli uomini che ha (**1**) .... all'arrembaggio della nave inglese sono morti. Marianna, invece, si è salvata dalla (**2**) ....: spaventata dall'acqua che aveva (**3**) .... la cabina, era salita sul ponte gridando (**4**) .... Anche Yanez è fuggito (**5**) .... Sandokan (**6**) .... le catene (**7**) .... con forza i polsi e sente le scale (**8**) .... : è il comandante che scende nella stiva per comunicargli che sarà (**9**) .... Ma Sandokan studia un piano di fuga: lui e Juioko prendono un veleno (**10**) .... che (**11**) .... la vita per sei ore, ma non uccide. Il medico (**12**) .... la morte dei due e i corpi vengono (**13**) .... a poppa.
Appena gettati in acqua, i pirati si svegliano e decidono di (**14**) .... a nuoto a nord-est, dove sperano di incontrare il praho di Yanez.

2 Collega ogni parola o espressione al suo sinonimo.

1	☐	tornare in sé	a	senza dubbio
2	☐	a denti stretti	b	cominciare a piangere
3	☐	non c'è che dire	c	paura, preoccupazione
4	☐	assegnare	d	svegliarsi, riprendersi
5	☐	fianchi	e	con rabbia
6	☐	scoppiare in lacrime	f	lati
7	☐	sfilare	g	dare, conferire
8	☐	ansia	h	togliere, levare
9	☐	risoluto	i	in superficie
10	☐	a galla	j	deciso, convinto

La rivincita delle tigri

Sandokan si volta soddisfatto verso Juioko, che guarda fisso all'orizzonte.

— Cosa cerchi? — gli chiede Sandokan.

— Là, guardate... verso nord-ovest!

— È un praho!... — esclama felice Sandokan, ma subito si blocca: — Maledizione, sono tre imbarcazioni; non può essere Yanez!

— Cosa facciamo? Io sono stanco morto.

— ... Al diavolo! Chiamiamo aiuto, poi si vedrà.

Juioko riempie i polmoni e urla con tutto il fiato che ha in corpo:

— Ehi, voi, della nave!... Aiuto!...

Dopo qualche secondo una voce dal veliero risponde: — Chi chiama?

— Naufraghi. [1]

---

1. **naufraghi** : persone che erano a bordo di una nave affondata.

Sandokan e le tigri di Mompracem

— Aspettate.

I velieri virano di bordo e si avvicinano, poi un'altra voce, quella di Yanez, esclama:

— Per Giove! Mi sembra proprio Sandokan! — e poi, rivolto all'equipaggio — Ragazzi, buttate una corda in mare!

Una volta sulla nave, Sandokan segue l'amico nella sua cabina.

— Sapevo che avresti inseguito l'incrociatore.

— Diavolo, con tre prahos e centocinquanta uomini, vuoi che non lo segua?

— Ma dove li hai raccolti?

— Sono i velieri che abbiamo perso a Labuan durante la tempesta. Si sono fermati parecchi giorni per riparare i danni subìti e poi si sono diretti a Mompracem, dove li ho incontrati.

— Chi occupa ora la mia isola?

— Nessuno. Gli inglesi l'hanno abbandonata dopo aver incendiato il villaggio.

— Meglio così — mormora Sandokan sospirando.

— Ma ora raccontami di te.

Mentre Sandokan gli spiega ciò che gli è successo, i marinai raccolgono dal mare una scatola di metallo, che contiene un messaggio di Marianna:

> *Aiuto! Mi portano alle Tre Isole, dove mi raggiungerà mio zio per condurmi a Sarawak.*
> *Marianna*

— Tigri di Mompracem! — grida Sandokan — Abbiamo dei nemici da sterminare e la nostra regina da salvare. Tutti alle Tre Isole!

— Vendetta! — urlano i pirati.

Mentre i prahos navigano veloci verso le Tre Isole, Yanez e Sandokan elaborano un piano.[1]

— Bisogna stare attenti, Sandokan. Forse il comandante ha avuto ordine da lord Guillonk di uccidere la nipote, pur di non farla diventare tua sposa.

— È possibile — risponde Sandokan con un filo di voce.[2] — Al momento dell'attacco, uno di noi dovrebbe stare vicino a Marianna per proteggerla. Ma come fare?

1. **elaborano un piano** : studiano un modo per agire.
2. **con un filo di voce** : con voce bassissima, soffocata dalla preoccupazione.

Sandokan e le tigri di Mompracem

— Ti ricordi che nella flotta che ci ha attaccato a Mompracem c'erano anche dei prahos del sultano del Varauni, alleato degli inglesi? Potrei travestirmi da ufficiale del sultano, fingere di essere stato mandato dal lord e salire sull'incrociatore. È l'unico modo per difendere Marianna. Dirò che devo consegnarle una lettera e mi chiuderò in cabina con lei.

— Ah, Yanez, sei la mia salvezza!

In quell'istante un marinaio avvista le Tre Isole e i due amici salgono velocemente in coperta.

— Ecco l'incrociatore, — dice Yanez — vedo del fumo laggiù.

Sandokan guarda con odio la nave nemica e poi si rivolge ai suoi uomini:

— Tigrotti, ricordatevi che questa è l'ultima battaglia che combatterete con me; dovrete affrontare quegli stessi uomini che hanno distrutto la nostra isola e catturato la regina di Mompracem. Ai vostri posti di combattimento ora, e alzate la bandiera del sultano del Varauni sulla cima dell'albero maestro.

A mezzogiorno i tre prahos arrivano all'imboccatura[1] della baia. Yanez, che nel frattempo si era travestito, sale sul ponte con in mano la lettera da dare a Marianna.

— Cos'hai scritto? — chiede Sandokan.

— Che siamo pronti e di non tradirsi.

— E se il comandante ti vuole accompagnare da lei?

— Se sarà necessario, lo ucciderò! — risponde Yanez freddamente — Ora nasconditi e lasciami il comando dei prahos per qualche minuto. E voi, tigrotti, nascondete quell'espressione

---

1. **imboccatura** : apertura da cui si entra.

di odio e ricordatevi che siamo fedelissimi sudditi di quella gran canaglia[1] del sultano del Borneo.

Il praho si avvicina all'incrociatore, seguito a breve distanza dagli altri due e, prima ancora che gli inglesi possano aprire bocca, Yanez fa accostare la sua nave tanto da toccare quella nemica.

— Chi va là? — chiede una sentinella.

— Borneo e Varauni — risponde Yanez. — Notizie importanti da Vittoria.

— Allontanate la nave.

— Al diavolo i regolamenti! Avete paura che i miei prahos affondino la vostra nave? Muovetevi, chiamate il comandante: ho degli ordini da comunicargli.

In men che non si dica, Yanez sale sul ponte dell'incrociatore.

— Comandante, ho una lettera da consegnare a lady Marianna da lord Guillonk.

— Datela a me, la consegnerò io.

— Scusate, comandante, ma ho ricevuto l'ordine di consegnarla personalmente.

— Venite, allora.

Yanez si sente gelare il sangue nelle vene: — Se Marianna fa capire che mi conosce, sono perduto — pensa tra sé.

Tuttavia si fa coraggio e segue il comandante fino alla cabina della ragazza.

Marianna è in piedi nella cabina; pallida, ma sicura di sé. Vedendo Yanez sta per tradirsi, ma capisce e frena il sussulto.[2] Prende la lettera, la apre e la legge con calma ammirabile.

---

1. **canaglia** : persona disonesta, di cui non ci si può fidare.
2. **sussulto** : leggero movimento per un'improvvisa emozione.

Ad un tratto Yanez si avvicina alla finestrella ed esclama:

— Capitano, un piroscafo si dirige verso di noi.

Appena il comandante raggiunge il finestrino, Yanez lo colpisce in testa con il manico del kriss.

— Forza, sorellina, — dice Yanez a Marianna, mentre lega e imbavaglia l'inglese — aiutatemi a barricarci dentro.

Dopo aver bloccato la porta, il portoghese si affaccia al finestrino e produce un fischio acuto.

I pirati si riversano sul ponte nemico. Dalla cabina si sente arrivare qualcuno:

— Capitano!... Capitano!... Aprite, capitano!

— Viva la Tigre della Malesia! — urla in risposta Yanez.

Dei colpi violenti scuotono la porta e da una fessura aperta con un colpo di scure[1] si introduce una canna di fucile; ma Yanez, veloce come un lampo, la alza e scarica attraverso l'apertura la sua pistola. Un corpo dall'altra parte cade a terra, mentre gli altri marinai risalgono frettolosamente la scala.

1. **scure** : arma da taglio usata per abbattere gli alberi.

All'improvviso si sentono delle grida:

— Al fuoco!... Si salvi chi può!

Il portoghese impallidisce; rimuove il più velocemente possibile i mobili che bloccano l'uscita, taglia le corde che legano il comandante, prende Marianna fra le braccia ed esce correndo.

Passa tra le fiamme, che hanno già invaso il corridoio e sale in coperta urlando:

— Al fuoco!

A quel grido, i trenta o quaranta inglesi che si difendevano senza ormai speranza si vedono perduti e si gettano in mare.

Sandokan attraversa il ponte e abbraccia Marianna:

— Mia, finalmente sei mia!

Nel medesimo istante un brigantino in lontananza spara una cannonata.

Sandokan, Marianna, Yanez e i pirati sopravvissuti alla battaglia abbandonano velocemente l'incrociatore e si imbarcano sui prahos.

Sandokan porta Marianna a prua e le indica il brigantino.

— Lo vedi, Marianna?

— È mio zio... — balbetta lei.

— Guardalo per l'ultima volta.

Yanez prende una carabina e la punta contro il lord, ma Sandokan interviene:

— Fermo, Yanez, per me quell'uomo è sacro. Ho promesso di salvargli la vita.

— Fuoco su quei miserabili! — grida intanto il lord.

Sandokan si fa cupo, si allontana bruscamente da Marianna, si dirige al cannone di poppa e prende a lungo la mira, nonostante le cannonate che il brigantino continua a lanciare.

Lentamente Sandokan dà fuoco alla miccia:[1] un istante dopo l'albero di trinchetto della nave nemica, colpito alla base, cade in acqua. L'imbarcazione si ferma di colpo.

1. **miccia** : nelle antiche armi da fuoco, piccola corda che bisognava accendere per sparare.

Sandokan fa qualche passo indietro con la fronte aggrottata e i pugni stretti:

— Yanez, rivolgi la prua verso Giava! — dice infine — Non torneremo mai più a Mompracem: la Tigre è morta per sempre.

Comprensione

1 Ricostruisci il riassunto del libro mettendo le frasi in ordine cronologico.

a ☐ Sconfitti dalla flotta inglese, i pirati sono costretti a fuggire da Mompracem.

b ☐ I pirati raggiungono la nave inglese diretta alle Tre Isole e Yanez si barrica in cabina con Marianna.

c ☐ Lo zio di Marianna scopre la vera identità di Sandokan e lo caccia dalla sua villa.

d ☐ Sandokan incontra Giro-Batol e torna a Mompracem a bordo di una canoa.

e ☐ Sandokan viene catturato dagli inglesi, ma riesce a scappare fingendosi morto.

f ☐ Ferito al petto, Sandokan viene ospitato da lord Guillonk e conosce lady Marianna.

g ☐ I pirati sconfiggono l'equipaggio inglese e si dirigono a Giava.

h ☐ Yanez e Sandokan decidono di tornare a Labuan per rapire Marianna.

i ☐ Yanez, travestito da soldato indiano, convince lord Guillonk ad andare a Vittoria.

j ☐ I pirati tendono un'imboscata agli inglesi, rapiscono Marianna e la portano a Mompracem.

k ☐ Sandokan decide di andare a Labuan per vedere con i suoi occhi la bella Marianna.

l ☐ Durante una caccia alla tigre, Sandokan e Marianna confessano il loro reciproco amore.

m ☐ I pirati trovano in mare una scatola contenente un messaggio di Marianna.

Competenze linguistiche

CELI 3

1 Collega le frasi utilizzando le congiunzioni, le preposizioni, i pronomi e gli avverbi necessari.

0 • Sandokan guarda verso nord-ovest
  • A nord-ovest ci sono tre navi
  • Sandokan chiede aiuto alle navi

Sandokan guarda verso nord-ovest, dove ci sono tre navi alle quali chiede aiuto.

1 • Si avvicina il veliero
  • Il veliero è di Yanez
  • Yanez dà un ordine all'equipaggio
  • L'ordine è: "Buttate una corda in mare!"

....

....

2 • Sandokan racconta una cosa
  • La cosa è quello che è successo
  • Intanto i marinai raccolgono una scatola
  • La scatola contiene un messaggio di Marianna

....

....

3 • Yanez vuole salire sull'incrociatore
  • L'incrociatore è degli inglesi
  • Yanez si traveste da ufficiale del sultano
  • Yanez vuole aiutare l'amico

....

....

107

Produzione scritta

 CELI 3

1 Nonostante l'ostilità di lord Guillonk, il romanzo si conclude felicemente con l'unione di Marianna e Sandokan.

Anche se accade molto meno di un tempo, è inevitabile che parenti e genitori influiscano sulle scelte dei propri figli.

Cosa pensi al riguardo?

Da genitore, fino a che punto cercheresti di condizionare le scelte di tuo/tua figlio/a?

(da un minimo di 120 ad un massimo di 180 parole)

Produzione orale

CELI 3

1 Ora rovescia la situazione: immagina di essere un/una adolescente che chiede ai suoi genitori il permesso di fare tardi un sabato sera per andare con alcuni suoi amici ad un concerto.

I tuoi genitori, prima di darti il consenso, ti chiedono alcune cose:

- dove è il concerto
- con chi vai
- che mezzo di trasporto usi per andare e tornare
- gli orari

Immagina il dialogo.

Sandokan e
la televisione degli anni '70

Nel 1976 la televisione italiana (RAI), in coproduzione con la rete francese O.R.T.I.F. e la tedesca Bavaria Film, manda in onda *Sandokan*, uno sceneggiato a puntate tratto dal ciclo malese di Emilio Salgari e girato in quella stessa Malesia che l'autore aveva solo immaginato.

La trasmissione riscuote un successo strepitoso: la guardano infatti più di 27 milioni di telespettatori, una cifra veramente considerevole per l'epoca.

Kabir Bedi e Carole André in un'immagine tratta dallo sceneggiato televisivo *Sandokan*.

Le prodezze dell'eroico pirata dal fascino orientale e dall'eleganza britannica, i dolci occhi azzurri della bella Marianna, l'ironica simpatia di Yanez e la crudeltà di lord Guillonk, tengono "incollate" al piccolo schermo moltissime famiglie italiane.

In effetti, lo sceneggiato ha tutti i requisiti per piacere e appassionare: avventura, scene d'azione, amore, eroismo e una riuscitissima colonna sonora, che in Italia tutti ricordano e canticchiano ancora oggi!

Questi aspetti da soli, però, non giustificano l'enorme successo di critica e di pubblico: il fatto importante è che, per la prima volta, la televisione italiana si propone come "piccolo schermo" nel vero senso della parola, offrendo per la prima volta un'alternativa al cinema.

La RAI, negli anni '70, si fa promotrice della nuova televisione a colori e fa quindi le cose in grande, offrendo un telefilm dall'abile regia e dalla straordinaria interpretazione da parte di un cast di tutto rispetto (ricordiamo, tra gli altri, Kabir Bedi, Carole André, Philippe Leroy e Adolfo Celi).

1 Rispondi alla seguenti domande.

1   In quale anno la televisione italiana ha trasmesso lo sceneggiato Sandokan?

2   Perché la trasmissione ha riscosso uno strepitoso successo?

3   Servendoti dell'immagine a pagina 109 prova a descrivere Marianna e Sandokan.

4   Cosa si intende con "piccolo schermo"?

PROGETTO **INTERNET**

La serie televisiva *Sandokan* è interamente girata nell'India del sud, in particolare a Mysore. Ricca di cultura e tradizioni uniche, viene chiamata la città del legno di sandalo, dell'incenso e dei profumi.

Le scene sono spesso ambientate nel palazzo del Maharaja, splendida struttura che ospita dipinti, bassorilievi ed affreschi inimitabili.

Per saperne di più vai su un motore di ricerca e inserisci la voce "Sandokan". Compariranno una serie di siti.

Clicca su uno di questi e rispondi a quanto richiesto.

▶ In quali luoghi è stato ambientato il *Sandokan* televisivo? Cerca delle informazioni più precise su almeno due di questi luoghi e riportale in modo schematico.

abbordare: accostarsi ad una nave per attaccarla.

albero di trinchetto: l'albero più vicino alla prua, che permette alla nave di muoversi.

albero maestro: albero più alto e importante.

arrembaggio: assalto portato a una nave dopo averla abbordata in modo rapido e violento.

attraccare: arrivare in un porto e gettare l'ancora.

brigantino: veliero a due alberi.

cabina: piccola stanza con una o più cuccette, a bordo delle navi.

cannoniera: piccola nave da guerra armata di soli cannoni.

corvetta: grande nave da guerra a tre alberi; era armata con pezzi d'artiglieria ed aveva un equipaggio di 140 o 280 uomini.

imbarcarsi: salire su un'imbarcazione, come passeggero o come membro dell'equipaggio.

incrociatore: nave da guerra di grande potenza e velocità, armata con missili e cannoni, adatta a percorrere lunghi tratti di mare.

piroscafo: nave a vapore usata per trasportare merci o persone.

polena: figura o busto di legno che si poneva come ornamento sulla prora delle navi.

ponte: ciascuno dei piani orizzontali che dividono l'interno di una nave: *ponte di coperta*, quello più alto; *ponte di batteria*, quello immediatamente inferiore; *ponte di corridoio*, subito sotto il ponte di batteria; *ponte di comando*, soprastruttura che sovrasta il ponte più alto, sulla quale prende posto chi dirige la navigazione (è detta anche "plancia").

poppa: parte posteriore (sul dietro) della nave.

prua: parte anteriore (sul davanti) della nave.

salpare: partire, prendere il largo.

sbarcare: scendere a terra da un'imbarcazione; mettere piede in un territorio nemico per effettuare un'operazione di guerra.

scialuppa: barca legata ai lati della nave, da usare in casi di emergenza.

sotto coperta: tutta la parte chiusa della nave.

speronare: colpire una nave con la prua di un'altra nave.

stiva: locale che si trova nella parte bassa della nave, destinato ad accogliere merci e bagagli.

vascello: grande nave da guerra a tre alberi.

veliero: termine generico per indicare le grandi imbarcazioni a vela.

virare: girare.